Educación Artística

Quinto grado

Esta edición de *Educación Artística. Quinto grado* fue desarrollada por la Dirección General de Materiales Educativos (DGME), de la Subsecretaría de Educación Básica.

Secretaría de Educación Pública
Alonso Lujambio Irazábal

Subsecretaría de Educación Básica
José Fernando González Sánchez

Dirección General de Materiales Educativos
María Edith Bernáldez Reyes

Coordinación técnico-pedagógica
Dirección de Desarrollo e Innovación de Materiales Educativos, DGME/SEP
María Cristina Martínez Mercado, Ana Lilia Romero Vázquez, Alexis González Dulzaides

Autores
Laura Gamboa Suárez, Lorena Cecilia Fuensanta Ávila Dueñas, María Teresa Carlos Yañez, Rita Holmbaeck Rasmussen, Oswaldo Martín del Campo Núñez, Marxitania Ortega Flores, María Estela Ruiz Fischer

Revisión técnico-pedagógica
Gabriela Rodríguez Blanco, Jessica Mariana Ortega Rodríguez, Rosa María Núñez Hernández, Daniela Aseret Ortiz Martínez, Luz María del Socorro Pech Zumárraga

Asesores
Lourdes Amaro Moreno, Leticia María de los Ángeles González Arredondo, Oscar Palacios Ceballos

Coordinación editorial
Dirección Editorial, DGME/SEP
Alejandro Portilla de Buen, Pablo Martínez, Esther Pérez Guzmán

Cuidado editorial
Esteban Manteca Aguirre

Iconografía
Diana Mayén Pérez, Fabiola Buenrostro Nava

Producción editorial
Martín Aguilar

Formación
Abraham Menes Núñez

Portada
Diseño de colección: Carlos Palleiro
Ilustración de portada: Cecilia Rébora

Primera edición, 2010
Segunda edición (ciclo escolar 2011-2012)

D.R. © Secretaría de Educación Pública, 2010
Argentina 28, Centro,
06020, México, D.F.

ISBN: 978-607-469-653-0

Impreso en México
DISTRIBUCIÓN GRATUITA-PROHIBIDA SU VENTA

Servicios editoriales
CIDCLI, S.C.

Coordinación y asesoría editorial
Patricia van Rhijn, Elisa Castellanos y Rocío Miranda

Diseño y diagramación
Rogelio Rangel

Ilustración
Alma Rosa Pacheco, p. 40; Carlos Alberto Sandoval, pp. 8-9, 28-29, 44-45, 60-61, 74-75; Enrique Torralba, p. 35; Fabricio Vanden Broeck, p. 53; José Luis García Valadez, pp. 11, 25, 36, 63, 83; Patricia Márquez e Isaías Valtierra, pp. 33, 49, 71, 72, 87, 88; ,Rocío Padilla, pp. 10, 15, 19, 20, 34, 38, 40, 50, 51, 55, 58, 64, 67, 72, 79, 81, 82; Sabina Iglesias, pp. 30, 46; Sara Elena Palacios, pp. 32, 56, 57.

Iconografía
Ana Mireya Martínez Olave

Fotografía
Rafael Miranda; asistente Anaí Tirado

Agradecimientos
La Secretaría de Educación Pública agradece a los más de 40 284 maestros y maestras, a las autoridades educativas de todo el país, al Sindicato Nacional de Trabajadores de la Educación, a expertos académicos, a los Coordinadores Estatales de Asesoría y Seguimiento para la Articulación de la Educación Básica, a los Coordinadores Estatales de Asesoría y Seguimiento para la Reforma de la Educación Primaria, a monitores, asesores y docentes de escuelas normales, por colaborar en la revisión de las diferentes versiones de los libros de texto llevada a cabo durante las Jornadas Nacionales y Estatales de Exploración de los Materiales Educativos y las Reuniones Regionales, realizadas en 2008 y 2009. Así como a la Dirección General de Desarrollo Curricular, Dirección General de Educación Indígena, Dirección General de Desarrollo de la Gestión e Innovación Educativa.

La SEP extiende un especial agradecimiento a la Organización de Estados Iberoamericanos para la Educación, la Ciencia y la Cultura (OEI), por su participación en el desarrollo de esta edición.

También se agradece el apoyo de las siguientes instituciones: Universidad Autónoma Metropolitana, Centro de Educación y Capacitación para el Desarrollo Sustentable de la Secretaría del Medio Ambiente y Recursos Naturales, Ministerio de Educación de la República de Cuba. Asimismo, la Secretaría de Educación Pública extiende su agradecimiento a todas aquellas personas e instituciones que de manera directa e indirecta contribuyeron a la realización del presente libro de texto.

Presentación

La Secretaría de Educación Pública, en el marco de la Reforma Integral de la Educación Básica, plantea una propuesta integrada de libros de texto desde un nuevo enfoque que hace énfasis en la participación de los alumnos para el desarrollo de las competencias básicas para la vida y el trabajo. Este enfoque incorpora como apoyo Tecnologías de la Información y Comunicación (TIC), materiales y equipamientos audiovisuales e informáticos que, junto con las bibliotecas de aula y escolares, enriquecen el conocimiento en las escuelas mexicanas.

Después de varias etapas, en este ciclo se consolida la Reforma en los seis grados y, en consecuencia, se presenta esta propuesta completa de los nuevos libros de texto, que abarca la totalidad de las asignaturas en todos los grados.

Este libro de texto incluye estrategias innovadoras para el trabajo escolar, demandando competencias docentes orientadas al aprovechamiento de distintas fuentes de información, el uso intensivo de la tecnología, la comprensión de las herramientas y de los lenguajes que niños y jóvenes utilizan en la sociedad del conocimiento. Al mismo tiempo, se busca que los estudiantes adquieran habilidades para aprender de manera autónoma, y que los padres de familia valoren y acompañen el cambio hacia la escuela mexicana del futuro.

Su elaboración es el resultado de una serie de acciones de colaboración, como la Alianza por la Calidad de la Educación, así como con múltiples actores entre los que destacan asociaciones de padres de familia, investigadores del campo de la educación, organismos evaluadores, maestros y expertos en diversas disciplinas. Todos han nutrido el contenido del libro desde distintas plataformas y a través de su experiencia. A ellos, la Secretaría de Educación Pública les extiende un sentido agradecimiento por el compromiso demostrado con cada niño residente en el territorio nacional y con aquellos que se encuentran fuera de él.

Secretaría de Educación Pública

Índice

Conoce tu libro

En este libro encontrarás lecciones de los cuatro lenguajes artísticos que ya conoces: artes visuales, expresión corporal y danza, música y teatro; cada disciplina tiene técnicas específicas para su ejecución. Podrás conocerlas mejor, para disfrutarlas y practicarlas.

Aprendizaje esperado
En este primer párrafo se indica brevemente qué aprenderás durante las actividades de la lección. Para conseguirlo, es importante que participes y apoyes a tus compañeros; deberás respetar las diferencias entre ustedes y participar con entusiasmo, convencido de que a ti también te respetarán.

Materiales
En esta parte se sugieren los materiales que pueden emplearse en las actividades de la lección. Cada grupo, dirigido por el maestro, deberá decidir si cuentan con ellos o si hay otros más accesibles y que les sirven mejor.

Lo que conozco
Como primera actividad se te invita a que reflexiones sobre lo que sabes del tema.

Escala
Para que tengas una idea del tamaño real de las obras como referencia se incluye una figura a escala.

Un dato interesante
Son anécdotas o información sobre un aspecto particular del tema. Puede ser algo interesante sobre un artista o un dato que te invite a investigar sobre lo que se comenta.

Te recomendamos navegar en internet siempre en compañía de un adulto.

Consulta en
Hay mucha información cerca de ti. Si algún tema te gustó y quieres saber más, aquí tienes dónde buscar. Encontrarás sugerencias de recursos informáticos ubicados en la plataforma Explora, localiza tu grado, selecciona la asignatura, ubica el bloque y finalmente haz clic en el recurso. También puedes consultar en internet el portal Habilidades Digitales para Todos (HDT), en www.hdt.gob.mx

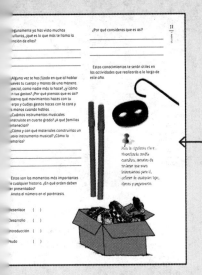

Autoevaluación. Podrás mirarte en el espejo de tu esfuerzo para valorar logros y aspectos que puedes mejorar: sé honesto, el resultado es sólo para ti.

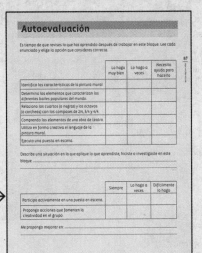

A lo largo de todas las lecciones podrás hacer uso de los objetos y materiales del "Baúl del arte".

Antes de terminar tu libro, encontrarás un proyecto de ensamble en el que podrás aplicar muchos de los aprendizajes que adquiriste, no sólo en este año sino a lo largo de toda tu educación primaria en la asignatura de Educación Artística.

En algunas lecciones encontrarás palabras destacadas en azul, para que te fijes en los conceptos más importantes y vayas ampliando tu vocabulario artístico.

Al final del libro aparece una página con preguntas para evaluarlo. Tu opinión es muy importante ya que nos ayudará a enriquecerlo.

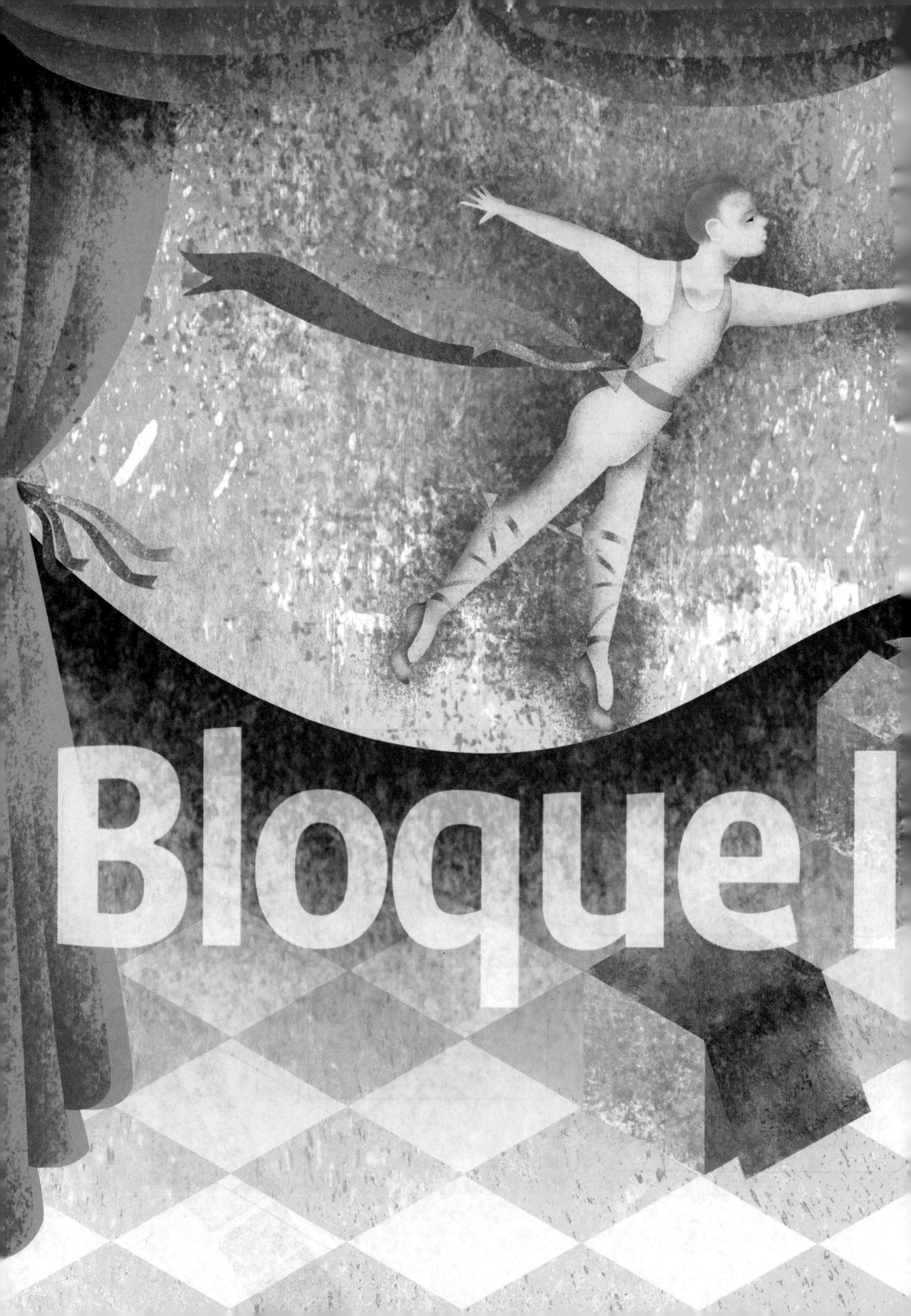
Bloque I

Lección 1 **Comencemos el año**

Nuevamente crearás con tus compañeros y tu maestro el "Baúl del arte", donde estarán los objetos e instrumentos que te ayudarán a expresarte con libertad. Decide con tus compañeros cómo quieren hacerlo y qué guardarán en él.

Jorge Reyes (1952-2009) creó su propio género musical: el tloque nahuaque (música corporal con canto armónico).

Para comenzar, intenta recordar qué conocimientos y habilidades artísticas adquiriste en cuarto grado. Por ejemplo, hoy sabes que el arte, en cualquiera de sus manifestaciones, siempre comunica algo. Además descubriste, entre otras cosas, que la escultura también es una manifestación del arte visual; que a través de la danza y el teatro puedes relatar historias o pensamientos y que la música, escuchándola o tocándola, te acompaña en diferentes momentos.

Seguramente ya has visto muchas esculturas, ¿qué es lo que más te llama la atención de ellas?

_____

_____

_____

¿Alguna vez te has fijado en que al hablar mueves tu cuerpo y manos de una manera especial, como nadie más lo hace?, ¿y cómo son tus gestos? ¿Por qué piensas que es así? Observa qué movimientos y gestos haces cuando hablas.

¿Cuántos instrumentos musicales construiste en cuarto grado? ¿A qué familias pertenecían?

¿Cómo y con qué materiales construirías un nuevo instrumento musical? ¿Cómo lo llamarías?

_____

_____

_____

Éstos son los momentos más importantes de cualquier historia. ¿En qué orden deben ser presentados?

Anota el número en el paréntesis.

Desenlace ( )

Desarrollo ( )

Introducción ( )

Nudo ( )

¿Por qué los ordenaste de esa manera?

_____

_____

_____

Estos conocimientos te serán útiles en las actividades que realizarás a lo largo de este año.

Para la siguiente clase... Necesitarás media cartulina, recortes de revistas que sean interesantes para ti, colores de cualquier tipo, tijeras y pegamento.

Lección 2 **Mi espacio favorito**

Todos nos encontramos dentro de un espacio. Aquí aprenderás a distinguir algunas características del espacio en relación con sus formas.

Lo que conozco

Para ti, ¿qué es un espacio? ¿Qué espacios diferentes conoces? Hagan una lluvia de ideas y mencionen todos aquellos espacios que les vengan a la cabeza.

Materiales:

Media cartulina, recortes de revistas que sean interesantes para ti, colores de cualquier tipo, tijeras y pegamento.

Abel Quezada, *El corredor solitario de Central Park* (fragmento) (1978), óleo sobre tela, 75 x 70 cm.

En nuestro entorno los espacios tienen características distintas. Encontrarás espacios abiertos, como parques y plazas, y cerrados, como una habitación. Tan grandes como una cancha de futbol y tan pequeños como una caja de zapatos.

En el arte el **espacio** se maneja de diferentes maneras. Entre otras, lo podemos ver representado en la pintura y también podemos experimentarlo físicamente en la arquitectura o en algunas esculturas.

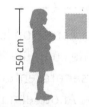

Alfredo Zalce, *Cuevas de Becal*, óleo sobre tela, 37 x 33 cm.

Observa detenidamente las imágenes de esta lección y supón que te encuentras en cualquiera de esos espacios ¿Qué formas tienen? ¿Qué sensaciones piensas que experimentarías ahí? ¿Qué sensaciones te transmiten los colores? ¿En cuál de ellos te sentirías mejor?, ¿por qué?

Después de observar cada una de las imágenes piensa en un espacio ideal.

- Inventa un lugar donde te puedas sentir totalmente a gusto. Será tu espacio, así que decide si lo quieres abierto o cerrado, grande o pequeño, lleno de colores o sin ellos.
- Con los materiales que trajiste crea tu espacio ideal sobre el papel. Puedes dibujar y pegar los recortes hasta obtener el resultado que buscas.

- Una vez que termines, comparte tu trabajo con tus compañeros y observa la variedad de resultados que obtuvieron. ¿Crearon espacios parecidos?, ¿qué dice tu espacio sobre ti?

Donde vives o en alguna población cercana a tu localidad existen edificios como escuelas, mercados, museos, oficinas gubernamentales, monumentos, teatros, centros deportivos, iglesias, ruinas arqueológicas, entre muchos otros, y cada uno tiene sus propias características espaciales. Si tienes la posibilidad de ir a algunos de ellos, obsérvalos por fuera y por dentro con mucha atención y descubre sus diferencias.

Para la siguiente clase...
Necesitarás recortes de todos los tipos de danza que encuentres en fotos de revistas, periódicos y folletos, así como artículos que presenten este tema.

Autor desconocido, *Troncos de árbol tallados, Bavaria, Alemania.*

Un dato interesante
En el siglo xx se desarrolló una nueva manifestación artística a la que se llamó "Arte de la tierra". Los artistas de este movimiento ya no deseaban mostrar sus obras en los espacios cerrados de los museos o las galerías. Así comenzaron a trabajar sus obras directamente en grandes espacios abiertos naturales, como el campo o los bosques, a los que usaban como soporte, empleando para ese fin todo tipo de materiales.

Lección 3 Todas las danzas

Aprenderás a distinguir las características de los diferentes géneros de danza.

Lo que conozco
¿Qué tipos de danzas conoces? Describe sus características.

Las danzas se encuentran ordenadas en grupos llamados géneros, que nos permiten identificarlas por las técnicas o procedimientos que utilizan, o bien, por el lugar y la época donde surgen y lo que representan.

Los géneros son: danza autóctona, danza popular o urbana, danza folclórica o regional, danza clásica, danza moderna y contemporánea.

Materiales:
Recortes de revistas, periódicos y folletos, así como fotos, monografías o artículos con el tema de la danza.

Danza de los Matachines, Chihuahua, México.

Danza autóctona o de los pueblos originarios: representa los pensamientos y formas de vida de nuestros antepasados y ha perdurado a lo largo del tiempo gracias a que se transmite de generación en generación. Pueden ser rituales o religiosas, estar dedicadas a una deidad o a peticiones agrícolas y de salud. Un ejemplo de ellas, en nuestro país, es la *Danza de los concheros*.

Danzas y bailes folclóricos o regionales: transmite las tradiciones y las costumbres de los pueblos del mundo. En nuestro país, por ejemplo, tenemos el baile del *Jarabe tapatío* y el *Baile de Mexicapán*.

Consulta en:
El portal HDT, Danzas de todos y danzas de algunos, parte 1 y parte 2.

Matachines con su vestido típico.

Danza popular o urbana: generalmente se crea en las ciudades y representa las expresiones de los diversos sectores sociales que las habitan; cambiando según la época y se crea en grupos. Algunos ejemplos son: el mambo, el cha-cha-chá, la salsa, el hip-hop, etcétera.

Existen también otros géneros de la danza en los que emplean técnicas especializadas, o sea un conjunto de procedimientos que se han asimilado mundialmente para que los cuerpos de los bailarines se conviertan en instrumentos de expresión dancística. Estos géneros son:

Danza clásica o ballet: nació en Italia, se denominó con la palabra *ballaretto*. Al llegar a Francia, los diferentes pasos y movimientos se designaron con palabras francesas. Las que después se adoptaron en todos los países. La principal característica del ballet es que las piernas se colocan rotadas hacia fuera y las mujeres bailan con los pies en puntas. Un ejemplo, muy conocido, es el ballet *El lago de los cisnes*, con música del compositor ruso Piotr Tchaikovsky y coreografía de Marius Petipa.

Danza moderna y contemporánea: a medida que pasó el tiempo, tanto bailarines como coreógrafos exploraron movimientos y códigos corporales más naturales; crearon así nuevos lenguajes dancísticos en los que se utilizan técnicas de entrenamiento específicas para expresar la realidad actual.

Comenta con tus compañeros y maestro: ¿qué género atrajo más tu atención y por qué? ¿Tus compañeros se inclinaron hacia el mismo género que tú? Escribe tus conclusiones al respecto:

_____

_____

_____

_____

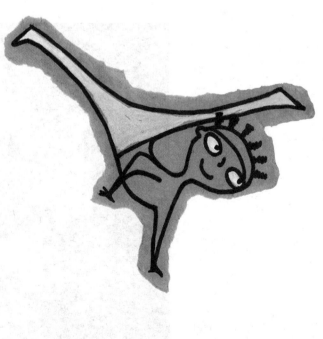

La bella durmiente, Compañía Nacional de Danza.

Nuestra revista de danza

Entre todos, crearán una revista de danza en la cual integrarán los diferentes temas, imágenes e investigaciones que realicen durante todo el año escolar.

- Primero, reúnan todos los materiales de investigación que lleven en cada clase.
- Elijan el nombre de la revista y piensen en cada una de las secciones necesarias para integrar los recortes y las investigaciones. Procuren que todos los compañeros participen en su elaboración.
- De común acuerdo, incluyan en la revista todo lo que consideren interesante; por ejemplo, entrevistas a bailarines, coreógrafos o danzantes de tu comunidad; fotografías de diversas danzas o bailes, biografías de grandes bailarinas y algunos otros datos del mundo de la danza.
- Pueden redactar artículos sobre la nutrición y los hábitos alimentarios que mantienen el cuerpo sano, porque la herramienta de trabajo de los bailarines es su cuerpo y, como tú sabes, una alimentación correcta es esencial para mantenerlo en óptimas condiciones; lo mismo sucede con la higiene corporal. ¿Qué haces para mantener tu cuerpo sano? ¿Cuál es tu dieta diaria?, ¿piensas que es adecuado para tu actividad física y edad?
- Integren en su revista los géneros de la danza. Sigan enriqueciéndola a lo largo del año y compártanla con su comunidad escolar.

Para la siguiente clase...

Necesitarás diversos tipos de música (instrumental, popular, rock, salsa, cumbia etcétera, así como algún tipo de música contemporánea), ropa y accesorios de casa así como un aparato reproductor de sonido para todo el grupo.

Fragmentos de Carmina Burana, compañía Fóramen M Ballet.

Lección 4 ¡A bailar!

En esta lección aprenderás a distinguir las características de los montajes escénicos de diferentes géneros de danza.

Lo que conozco

¿Alguna vez has visto una presentación de un grupo de danza en un escenario? ¿De qué género era? ¿Qué experimentaste? Comparte esta vivencia con tus compañeros.

Rara Avis, Compañía Nacional de Danza.

Trío y cordón, compañía Delfos, 2010.

Materiales:

Necesitarás diversos tipos de música (instrumental, popular, rock, salsa, cumbia, etcétera, así como algún tipo de música contemporánea), ropa, accesorios y un aparato reproductor de sonido para todo el grupo.

Danza de la cinta, danzantes del carnaval de Tlaxcala.

Un montaje escénico es un proceso a lo largo del cual se crea una danza para presentarla ante un público. En el montaje escénico intervienen los siguientes elementos: escenario, escenografía, iluminación, vestuario, coreografías y música.

El **escenario** es el espacio en donde se presentan el teatro y la danza; puede estar dentro de un espacio cerrado o al aire libre.

La **escenografía** es el grupo de elementos que ayudan a ambientar el espacio en donde sucede la danza. Por ejemplo, si el tema de la danza se sitúa en una selva podrías utilizar un telón con dibujos de plantas, troncos y vegetación propia de ese lugar.

¿Qué otros elementos pondrías en el escenario para que el público comprenda mejor y disfrute el espectáculo?

Dentro de un teatro, la **iluminación** se utiliza, generalmente, para crear distintos ambientes. Por ejemplo, si el hecho representado por la danza ocurriera en un lago, las luces que se utilizarían serían azules; pero si el tema de la danza tuviera que ver con el desierto, ¿cómo crearías ese ambiente con la luz?, ¿qué colores utilizarías?

Las horas, Compañía Tania Pérez Salas.

El **vestuario** es la ropa que utilizan los bailarines y debe ser adecuada para la danza que se quiere interpretar.

Una **secuencia coreográfica** es la unión de varios pasos o movimientos en un baile o una danza. Una danza o coreografía contiene varias secuencias de movimiento.

¿Qué diferencias observas en los montajes escénicos de los diversos géneros dancísticos? Observa detalladamente el material de tu revista de danza.

Ahora, vamos a bailar.

- Haz una breve representación de uno de los géneros dancísticos. Considera algunos de sus elementos en tu montaje escénico.
- Aprovecha los medios que tengas a tu alcance. Recurre al "Baúl del arte" y a los elementos que trajiste de casa para utilizarlos como escenografía o vestuario.
- Podrás hacer la danza en dúos, tríos o cuartetos.
- Ten mucho cuidado al representar los movimientos de las distintas danzas; no intentes cargar a tus compañeros, evita lastimarte.
- ¡Presenta el trabajo ante tu grupo!

Al final de la clase formen un círculo para compartir su experiencia. Reflexionen acerca de lo siguiente: ¿qué elementos utilizaron para realizar el montaje escénico?, ¿cómo era el vestuario?, ¿qué tipo de escenografía emplearon? ¿Qué género dancístico les gustó más y por qué?

Un dato interesante

Se dice que la bailarina María Taglioni (1804-1884) fue la primera en utilizar las zapatillas de punta en el gran ballet *La sylphide*, del compositor Frederic Chopin, en 1832.

¡Psitt! ¡Psitt!, viene regando flores desde *La Habana a Morón*, Gelabert-Azzopardi Companyia de Dansa, 2008.

Lección 5 **La música también tiene figuras**

Este año comenzarás a conocer la escritura musical formal. Aprenderás a identificar y a ejecutar el valor de cuarto (o negra) y su respectivo silencio.

Lo que conozco

Al marcar un pulso, ¿cómo identificas los tiempos fuertes y los tiempos suaves?

En años anteriores has creado distintas formas de escritura musical para ejecutar ritmos o para memorizar canciones.

- ¿Recuerdas algunos signos o garabatos que hayas inventado y lo que significaban? Si es así aprovecha este espacio para recordarlos; dibújalos dentro del cuadro.

La música es un lenguaje que puede escribirse y leerse porque tiene signos, figuras y símbolos que representan sonidos y silencios. Este año comenzarás a conocer y utilizar algunos de los valores rítmicos de la escritura musical.

Los compases en música se representan por medio de fracciones, por ejemplo: el compás de dos tiempos se representa de la siguiente forma: 2/4 y el de tres tiempos se escribe así: 3/4. También existen compases de cuatro tiempos 4/4. El compás siempre se escribe al inicio de cada ejercicio.

En los bloques siguientes los conocerás con mayor detalle y profundidad, por ahora es suficiente que te familiarices con ellos.

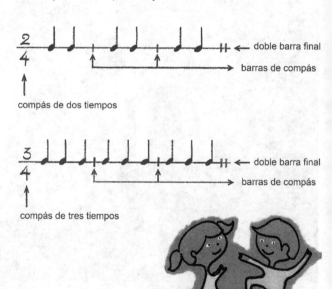

compás de dos tiempos

compás de tres tiempos

Consulta en...
El portal HDT, el recurso
Duración en taller de sonidos,
Taller de música, duración.

En música, existe una figura para representar cada tiempo en los compases, y se le conoce con el nombre de **negra**, aquí la tienes:

Practica dibujándola en una hoja de papel. El palito de la nota se llama **plica** y puede ir hacia arriba o hacia abajo de la nota. Cada negra vale siempre un tiempo. Si pones atención a este ejercicio lo entenderás mejor. Sigue un pulso, a la vez que golpeas o palmeas di la sílaba "ta" en cada golpe; ten cuidado de no hacer la sílaba corta, alárgala durante todo el golpe, no hagas silencio entre una y otra sílaba. Cada uno de esos golpes o de estas sílabas es una negra. Una negra es igual a un tiempo.

Con base en lo que acabas de descubrir observa estos ejercicios rítmicos. Es fácil, recuerda: cada negra es un tiempo, en cada negra di la sílaba "ta" y haz siempre igual cada tiempo. Recuerda que la sílaba **en negritas** marca el tiempo fuerte: **un**, dos, **un**, dos; o **un**, dos, tres, **un**, dos, tres.

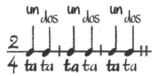

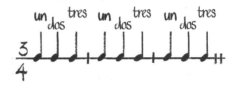

Ahora inténtalo con estos otros ejercicios.

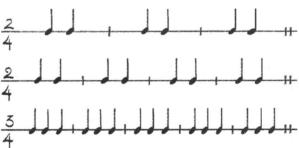

Esta otra figura representa el silencio de una negra, es decir, cuando la veas no debe haber sonido durante un tiempo.

Para que comiences a familiarizarte con ella haz un "shh" en cada silencio. Observa el ejemplo.

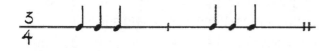

Hay seis negras, entonces lee "ta-ta-ta-ta-ta-ta", manteniendo siempre el pulso, cada sílaba igual. Si existieran silencios entre las negras el ejercicio se escribiría así:

Y se leería "ta-shh-ta-shh-ta-shh". Es fácil. Practica estos ejercicios siguiendo las indicaciones anteriores.

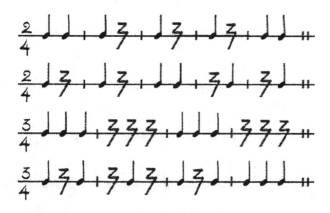

Vuelve a realizar los ejercicios, pero ahora deja de decir "shh" y haz realmente un silencio de un tiempo en donde aparece la figura del silencio de negra. Ahora, para reafirmar lo que aprendiste, escribe en este espacio algunos ejercicios que tú inventes con negras y silencios de negras.

Los músicos que tocan un instrumento de percusión (como la batería, el pandero, las maracas, el tambor o los timbales) realizan ejercicios de lectura muy similares a los que acabas de practicar.

Lección 6 Viaje a mi interior

Aquí aprenderás que los distintos sentimientos y sensaciones que experimentas forman parte de tu personalidad.

Lo que conozco

¿Has experimentado el enojo cuando algo no sucede como tú esperabas? ¿Y qué sientes cuando todo sale bien?

Existen muchos ejercicios para que los actores exploren sus sentimientos, sensaciones y emociones; de este modo consiguen representarlos en escena con mayor o menor grado de intensidad, y así, hacen que su personaje resulte creíble.

En esta lección llevaremos a cabo un ejercicio con las emociones y su grado de intensidad.

- En grupo, formen un círculo y pónganse de pie en un espacio amplio.
- Comiencen moviendo las partes del cuerpo suavemente, primero la cabeza y terminando con los pies.
- Ahora, con su maestro en el centro, escuchen la frase que les dirá: "Así soy yo" y una emoción como "alegría", entonces todos repetirán la frase, las veces que sea necesario, hasta que cada uno experimente la emoción en todo su cuerpo.
- Al decir la frase cada uno debe ir subiendo la intensidad de la emoción y el tono de su voz, hasta que casi griten. También pueden mover su cuerpo según lo necesiten.
- Enseguida su maestro dirá nuevamente la frase "Así soy yo" y a lo mejor dice: "enojo"; continúen el ejercicio con todas las emociones.

Trapos y harapos, compañía Athos Garabatos, 2010.

- Al finalizar, relájense o recuéstense sobre el suelo unos minutos. Actividades como esta te permiten conocerte, identificar lo que sientes, y la manera en que lo expresas.

Dividan su grupo en equipos y comenten: ¿cómo se sintieron experimentando con su cuerpo y su voz? ¿Qué diferencias notan en la forma en que varios compañeros expresan la misma emoción? ¿Por qué piensan que las mismas emociones se manifiestan de diferentes maneras en cada uno de ustedes?

Cállate, dirección: Cal McCrystal, actriz: Adriana Duch. Xalapa, Veracruz, 200

En el teatro y en la pintura, en la música y en la danza podemos ver cómo los artistas se expresan de formas muy diversas. Cada obra es diferente porque cada artista interpreta sus propias emociones con su estilo personal; por eso, además, las obras producen emociones particulares en cada espectador.

Para la siguiente clase… Necesitarás objetos de "Baúl del arte" y diversos accesorios como collares, brazaletes o plumas.

Las emociones, los pensamientos y las actitudes conforman nuestra personalidad.

Para realizar sus obras y plasmar en ellas su mundo interno en una expresión única y genuina, los artistas estudian mucho, hasta dominar las técnicas que requieren.

Integro lo aprendido

Los lenguajes artísticos tienen aspectos en común. Hoy en día las posibilidades para experimentar con el arte son muy amplias: juntar muchos lenguajes, aislarlos o ¡hasta intentar crear nuevos!

Antes de comenzar, recuerden que esta lección es una propuesta en la que pueden integrar los lenguajes artísticos de la forma que prefieran.

En esta ocasión les proponemos combinar la danza con la música y el teatro, retomando las experiencias que vivieron en las lecciones de este bloque.

En grupo, elijan un tema relacionado con sus emociones; piensen en lo que les causa alegría o enojo, lo que les emociona o entristece. Una vez elegido el tema, decidan quiénes prefieren representar el tema bailando y quiénes se interesan por componer y ejecutar un acompañamiento musical.

Materiales:
Objetos del "Baúl del arte" y diversos accesorios, como collares, brazaletes o plumas.

150 cm

Pablo Picasso, *Violín y uvas* (1912), óleo sobre tela, 50.8 x 61 cm.

Si el equipo de bailarines lo desea, pueden integrar pequeños detalles de utilería en su danza, como collares, plumas, brazaletes, muñequeras, cinturones o cualquier objeto que apoye el tema que eligieron.

Aunque parezca increíble, pueden componer una pequeña pieza utilizando únicamente el valor de negra y su silencio, ¡inténtenlo! Escriban su composición rítmica en una hoja y acuerden si la ejecutarán con uno o varios instrumentos. En todo momento, hagan su mejor esfuerzo para que su combinación de valores rítmicos ilustre o exprese bien su tema.

Una vez que la música esté lista, seleccionen un espacio donde puedan ensayar músicos y bailarines juntos. Comenten, ¿dónde se ensaya mejor: en un espacio abierto o en uno cerrado?, ¿por qué? Decidan si presentarán esta danza ante un público o si únicamente la ejecutarán para ustedes.

Es muy importante que reflexionen sobre lo siguiente: ¿qué similitudes hay en el teatro y la danza? ¿A qué género pertenece la danza que interpretaron? Describan sus características.

Muchos artistas crean obras sin importarles si serán representadas o vistas algún día, los mueve sólo su necesidad de expresar sus ideas, de entender mejor el mundo que les rodea o de descubrirse a sí mismos.

Para la siguiente clase…
Necesitarás realizar un recorrido por el lugar donde vives para hacer una lista de algunas construcciones que observes (edificios habitacionales, casas, oficinas, fábricas, establos), y otra con espacios abiertos (plazas, parques, sembradíos, entre otros), anotando sus características específicas. Hojas de papel y lápiz.

Alfredo Zalce, *Gente y paisaje de Michoacán* (1962), pintura al fresco (detalle), Palacio de Gobierno, Morelia, Michoacán.

Autoevaluación

Es tiempo de que revises lo que has aprendido después de trabajar en este bloque.
Lee cada enunciado y elige la opción que consideres correcta

	Lo hago muy bien	Lo hago a veces	Necesito ayuda para hacerlo
Distingo las características del espacio en relación con su forma.			
Comparo los diferentes géneros de la danza, por sus características.			
Identifico el valor de ♩.			
Comprendo que las emociones forman parte de mi personalidad.			
Investigo características de los diferentes géneros de la danza.			
Identifica las sensaciones experimentadas al explorar diversos espacios.			

Describe una situación en la que apliques lo que aprendiste, hiciste o investigaste en este bloque. _____

_____

_____

	Siempre	Lo hago a veces	Difícilmente lo hago
Comparto con mis compañeros emociones y sentimientos.			
Cuido mis movimientos para no lastimarme en la clase de danza.			

Me propongo mejorar en: _____

_____

Bloque II

Lección 7 **La arquitectura nos habla**

Aquí aprenderás a reconocer diferentes tipos de espacios en relación con su función.

Lo que conozco

¿Qué construcciones encontraste en el recorrido por el lugar donde vives?, ¿qué actividades se llevan a cabo en esos espacios?, ¿qué objetos piensas que hay dentro de ellos?

Materiales:

Una lista con los nombres de algunas construcciones del lugar donde vives y otra con los de espacios abiertos, con sus características específicas. Hojas de papel y lápiz.

Como aprendiste en tu libro de Historia de cuarto grado, el ser humano, al convertirse en sedentario y descubrir que las plantas podían ser cultivadas, desarrolló la agricultura; al intercambiar cosas con gente de otras aldeas surgió el comercio. Con el desarrollo de la agricultura y el comercio algunos poblados comenzaron a crecer. Al pasar de aldeas a pueblos y de pueblos a ciudades, las construcciones cambiaron sus características espaciales.

Un dato interesante

El arquitecto Luis Barragán Morfín (1902-1988) fue uno de los arquitectos mexicanos más importantes del siglo xx. La casa estudio Luis Barragán, que se encuentra en la Ciudad de México, es una de sus obras más importantes.

Luis Barragán Morfín, Casa Luis Barragán (1948) (portería), Tacubaya, Ciudad de México.

Tu hogar es un espacio habitacional, no importa si es una casa o un edificio tiene una función muy importante: protegerte del frío, la lluvia o el calor.

Tanto un hospital como una fábrica, un museo o tu escuela tienen una función específica. En ellos se congrega gente para trabajar, estudiar, para curarse o para aprender cosas nuevas.

Existen muchos tipos de construcciones; sin embargo, seguramente has visto algunas que han llamado más tu atención, por ejemplo, por su forma o color.

¿Qué construcción conoces que pudiera ser artística?

Compartan la información que recopilaron sobre las construcciones del lugar donde viven, recuerden sus características y funciones.

Entre todos, con creatividad e imaginación, van a crear una pequeña ciudad a partir de la información que han traído. Deben organizarse para poder realizar esta tarea en conjunto, intentando que su ciudad tenga la mayor cantidad de construcciones, con formas y funciones diferentes.

En esta lección la actividad es hacer solamente un boceto o croquis que muestre claramente el nuevo espacio que van a construir; en el próximo bloque lo construirán con materiales de reúso.

Antes de construir, los arquitectos representan las formas del espacio en planos. Éstos se convierten después en guías

para la construcción física del proyecto. Los croquis que ustedes hicieron serán como los planos de los arquitectos y los usarán en la siguiente clase para la construcción de su ciudad. Para ayudarse en esta actividad pueden consultar el bloque II de su libro de quinto grado de Matemáticas.

Compartan sus trabajos. ¿Lograron ponerse de acuerdo?, ¿ya decidieron qué materiales usarán?, ¿qué parecido tendrá con el lugar donde viven?

Para la siguiente clase... Necesitarás realizar una investigación sobre la danza y el cine. Investiga qué películas tienen por tema principal la danza, o cuáles muestran algún baile. Pueden ser escenas cotidianas: un salón de baile, una fiesta, un baile folclórico, entre otras. También deberás traer elementos que puedas usar como vestuario, la música que te guste y un reproductor de sonido para todo el grupo.

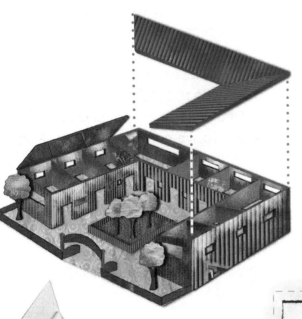

Consulta en:
Si deseas conocer más sobre Luis Barragán y su arquitectura, visita su casa:
www.casaluisbarragan.org

Lección 8 Danzaré como en el cine

Aquí aprenderás a identificar la relación que existe entre la danza, el cine y otras artes escénicas.

Lo que conozco

¿Has visto alguna película en la que aparezca gente bailando?, ¿cuál? Descríbela.

La danza está presente en otras disciplinas artísticas como la ópera, el teatro, la literatura, la música y el cine.

Algunas veces en el cine aparecen bailes o danzas; hay películas en las que sólo se ve un fragmento, y en otras, es el tema principal.

Formen equipos, compartan, describan y comenten las películas que hayan visto donde aparezcan fragmentos de danza, de acuerdo con la investigación que hicieron.

Realicen una secuencia de movimiento; puede ser como la de alguna de las películas o bien, inspirada en ellas.

Cada equipo deberá escoger e interpretar un género musical distinto. Para la secuencia, cada integrante del equipo propondrá un movimiento; cuando la tengan lista preséntenla frente al resto de sus compañeros.

- Transformen el salón; hagan una pequeña escenografía, vístanse con los elementos que tengan a la mano en su "Baúl del arte", o con los que hayan traído de casa, practiquen su secuencia de movimiento. Tengan todo listo para rodar imaginariamente su película. ¿Listos?
- Ahora, ¡vamos a jugar al cine! Filmaremos una escena: un compañero podrá ser el director de la película, entrarán los bailarines cuando el director diga: ¡cámara... acción!

Materiales:
La investigación que realizaste sobre la danza y el cine, los elementos que puedas utilizar como vestuario, música y un reproductor de sonido para todo el grupo.

ESTUDIO

PRODUCTOR

DIRECTOR

CÁMARA

FECHA   ESCENA   TOMA

BLOQUE II

Realiza un ejercicio de relajación. Recuéstate en el suelo, cierra los ojos y respira inhalando y exhalando lentamente, permanece así, escuchando la música unos minutos.

Siempre será importante analizar lo aprendido, porque compartes puntos de vista con tus compañeros y observas que hay diferentes maneras de interpretar acciones.

Comenta con tus compañeros.de equipo: ¿cómo integraron los pasos que cada uno proponía? ¿El género musical que escogieron se acomodó a la secuencia dancística o no había armonía?, ¿por qué?

Recuerden continuar trabajando en su revista de danza.

Para la siguiente clase...
Necesitarás traer la música que más te agrade y un reproductor de sonido para todos.

 Consulta en...
El portal de HDT, parte de calentamiento y parte de enfriamiento, en el recurso Danzas de todos y danzas de algunos, calentamiento, enfriamiento.

Es el momento de profundizar sobre el tema del compás musical. Aquí aprenderás a distinguir y a comprender el compás de 2/4 en la música, su significado y funcionamiento en diversas piezas musicales y realizarás patrones rítmicos con él.

Lo que conozco

¿Cómo se llama la figura con la que puedes marcar cada tiempo de un compás de 2, 3 o 4 cuartos?

¿Es lo mismo un compás musical que el que utilizas para dibujar una circunferencia? Pues claro que no, pero a los dos se les puede fijar una medida que no cambie.

En música, el **compás** sirve, por un lado, para establecer el pulso, y por otro, distribuye y marca los tiempos fuertes y suaves de una pieza.

En años anteriores has realizado ejercicios de ritmo y pulso; en ocasiones, marcabas golpeando con la mano o con el pie. Esas actividades, junto con lo que aprendiste sobre la figura de negra en la primera lección de este año, te servirán para adentrarte fácilmente en el mundo de los compases musicales.

Existen compases básicos de dos, tres y cuatro tiempos o cuartos.

En los ejercicios rítmicos escritos, el compás siempre se escribe al inicio.

Se representan mediante fracciones de la siguiente manera:

$$\frac{2}{4}, \frac{3}{4}, \frac{4}{4}$$

Materiales:
La música que más te agrade y un reproductor de sonido para todo el grupo.

Lo mismo ocurre en los ejercicios melódicos; aunque éstos los aprenderás en la secundaria, puedes comenzar a familiarizarte con ellos:

En música, a la figura de negra también se le conoce como cuarto. ¿Recuerdas tus lecciones de fracciones en matemáticas? Toda fracción común cuenta con un numerador y un denominador.

En los compases musicales el numerador indica cuántos tiempos tiene un compás y el denominador señala cuánto vale cada uno de esos tiempos.

$\dfrac{2}{4}$ → Dos tiempos por compás

→ Cada tiempo vale un cuarto

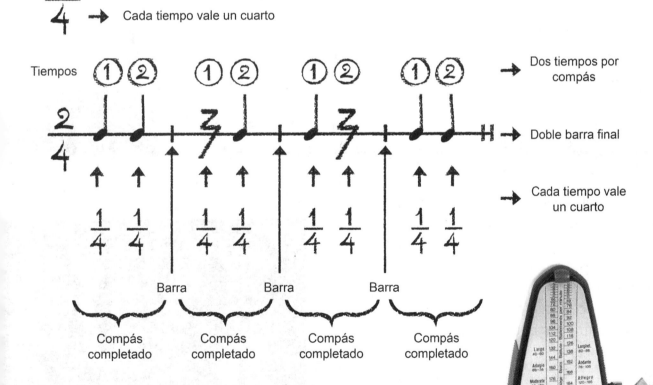

Un 2/4 indica que cada compás debe tener dos tiempos y cada uno de ellos debe valer un cuarto o su equivalente; el primer tiempo es fuerte. Una vez que el compás se ha completado se coloca una barra. Observa el ejemplo.

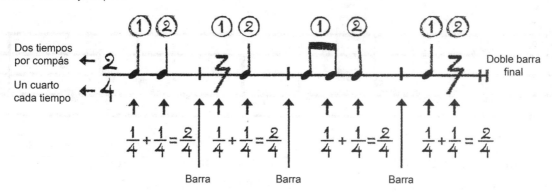

Ahora, con esta información, puedes entender mejor los ejercicios rítmicos que has realizado desde la primera lección. Recuerda que puedes leerlos golpeando, dando aplausos o con un instrumento de percusión y que el primer tiempo de cada compás siempre se acentúa.

Practica los siguientes ejercicios:

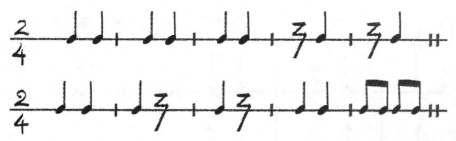

Terminen la clase escuchando diferentes grabaciones de música y traten de identificar si algunas están escritas en el compás de 4/4.

¿Conoces alguna marcha? Recuerda que la marcha es una forma musical en la que puedes reconocer fácilmente el compás de 2/4. Reflexiona y comenta por qué.

Taiko, Compañía Gocoo+GoRo, de Japón, 2005.

Un dato interesante

El duranguense Silvestre Revueltas (1899-1940) es considerado por varios compositores, instrumentistas y melómanos como el mejor compositor mexicano del siglo XX, debido al poderoso carácter nacionalista de sus creaciones (*La noche de los mayas* o *Sensemayá*) y a la maestría de su técnica compositiva. ¿Conoces alguna obra suya?

Lección 10 **Un secreto de familia**

Aquí aprenderás a identificar las sensaciones y los sentimientos que pueden tener los personajes.

Lo que conozco

Cuando conoces una historia, ¿has percibido las diferentes características de los personajes?, ¿cómo muestran sus sentimientos?, ¿y sus actitudes?

Ya has visto que en las diferentes manifestaciones y lenguajes artísticos el artista expresa tanto sensaciones, como sentimientos e ideas. En el teatro esto es importante porque si los actores no los expresan bien, no comunicarán al público lo que desean.

En equipos, formen familias, escojan personajes como los abuelos, padres e hijos e inventen un secreto de familia, chusco o triste.

Comuníquenlo como si fuera un secreto, es decir que cada personaje lo irá contando, en voz muy baja o al oído del otro, hasta que todo el equipo lo sepa, cada familia se irá sorprendiendo y tomando diferentes actitudes corporales y emotivas.

Después preséntelo a sus compañeros, sin hablar, para ver si logran descubrir "el secreto de familia".

¿Qué pueden estar sintiendo los personajes de las familias?

_____

_____

Imaginen la conversación de los personajes y cuál es su secreto. Coméntenlo en equipo.

Eduardo II, de Christopher Marlowe, director: Martín Acosta, 2008.

Un diálogo es una conversación entre dos o más personas mediante la cual se comunican pensamientos y sentimientos; el diálogo es la forma básica de escritura en el teatro. En algunas obras puede haber un narrador, que va comentando los cambios en la historia; pero, en general, los personajes mismos comunican sus intenciones, emociones y pensamientos a través de diálogos.

¿Cuál de las emociones presentadas por los actores has experimentado?, ¿en qué momentos?, ¿te ha servido para algo identificarlas?, ¿para qué?

_____

_____

A veces, el teatro también utiliza en sus ejercicios la improvisación, lo que realizaste es un ejemplo de ello.

Para la siguiente clase...
Necesitarás objetos del "Baúl del arte" e investigar sobre los telones que se usan en la ópera.

Integro lo aprendido

¿Has oído hablar de la ópera? Es un género teatral en el que se unen la tragedia o la comedia, la música y, algunas veces, la danza, para contar una historia. Los intérpretes actúan y cantan sus diálogos, los músicos tocan en vivo y, en ocasiones, también hay escenas de danza.

Materiales:
Objetos del "Baúl del arte" y la investigación que hicieron sobre telones de óperas.

La ópera se originó en Italia, durante el Renacimiento. Surge por la inquietud de varios artistas (poetas, músicos, etcétera) de retomar el teatro griego, en el que existía un coro y los diálogos se decían con una entonación cercana al canto. Durante los siglos XVII, XVIII y XIX los ejecutantes de ópera desarrollaron técnicas muy depuradas y exigentes para cantar, que aún se mantienen. Sin embargo, en el siglo XX la ópera se ve influida por música del género popular y deriva en la ópera-rock, en la cual las exigencias vocales son muy distintas a las tradicionales.

Las artes visuales también están presentes en la ópera, piensa en la magnífica arquitectura de los teatros donde generalmente se representa. Grandes artistas plásticos, como Marc Chagall (1887-1985) y Pablo Picasso (1881-1973) han creado telones, decorados y escenografía para representaciones operísticas.

La ópera es una fiesta artística, muchos incluso la llaman "el espectáculo sin límites".

El gato con botas, Orquesta Sinfónica de Universidad de Guanajuato, 2005.

Ustedes pueden representar una ópera, quizá no sea tan complicado si utilizan su inventiva e involucran su imaginación.

- Escriban en el pizarrón una lista con sus canciones favoritas y seleccionen todas las que quieran.
- Una vez que tengan su lista de canciones, analicen los temas y las letras de cada una de ellas para que puedan construir una historia al enlazar una tras otra. Tomen en cuenta que para que sea una ópera no deben existir diálogos sin música y las canciones deben sucederse sin interrupción.
- ¡Ya tienen el esqueleto de su ópera!: música y teatro. Ahora, para llevar su obra a escena, divídanse en equipos, según sus intereses.
- El equipo de bailarines determinará qué canciones pueden acompañarse de baile.
- Otro equipo construirá la escenografía. Compartan y usen su investigación acerca de los telones para óperas famosas.
- Por último, el equipo de los cantantes-actores deberá repartirse los roles que ustedes mismos inventaron.
- Elijan entre todos un director, quien será el encargado de organizar y de dirigir a los actores y bailarines.

Cuando dos o más disciplinas artísticas se unen para crear una obra se dice que es un

Antonio Pérez, "Ñiko", *Gala de ópera (1998)*, serigrafía, 70 x 95 cm.

trabajo multidisciplinario: en el caso de la ópera, se juntan la música, el canto, la expresión corporal y la danza para crear una obra de grandes proporciones.

Denle un nombre a la ópera que realizaron, preséntenla ante sus compañeros y comenten su experiencia.

¿Conoces trabajos artísticos que sean multidisciplinarios? Coméntalo con tus compañeros. ¿Te gustaría ir a alguna función de ópera? Hoy en día existen muchas óperas compuestas especialmente para niños. Puedes investigar cuáles son algunas de ellas; seguramente te sorprenderán sus argumentos y descubrirás que, contra lo que mucha gente piensa, su música es ágil y llena de vida.

Para la siguiente clase...

Necesitarás el croquis o boceto que hiciste en la lección 7, materiales de reúso como cajas de cartón, latas de refresco, envases diversos, pintura vinílica, pinceles, pegamento y cualquier material que pueda servirte para la construcción de la ciudad.

Consulta en:
Si deseas conocer más sobre ópera
http://recuentosdeopera.weebly.com/videos.html

Autoevaluación

Es tiempo de que revises lo que has aprendido después de trabajar en este bloque.
Lee cada enunciado y elige la opción que consideres correcta.

	Lo hago muy bien	Lo hago a veces	Necesito ayuda para hacerlo
Exploro diversos espacios en relación con su funcionalidad.			
Identifico la forma en que se relaciona la danza con el cine y otras artes escénicas.			
Diferencio los componentes de 2/4 en piezas musicales.			
Entiendo la importancia de expresar emociones para dar vida a los personajes.			
Describo la función de los diversos espacios.			
Ejecuto ejercicios rítmicos de 2/4.			

Describe una situación en la que apliques lo que aprendiste, hiciste o investigaste en este
bloque. _____

_____

	Siempre	Lo hago a veces	Difícilmente lo hago
Realizo con interés mis actividades artísticas.			
Promuevo el consumo de una alimentación equilibrada.			

Me propongo mejorar en: _____

_____

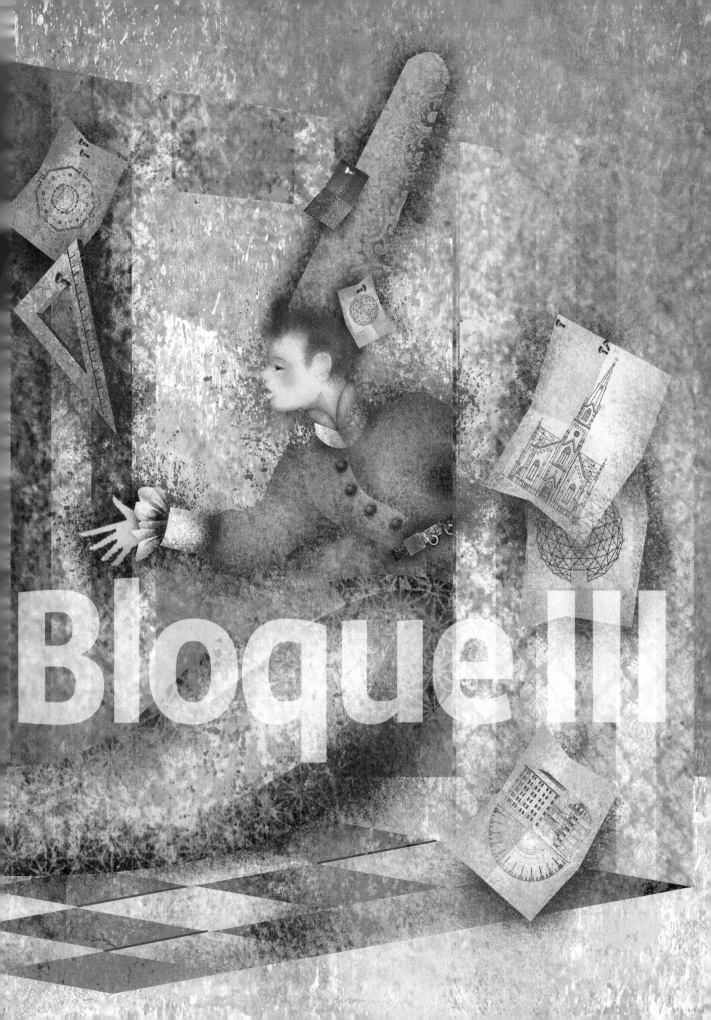

Bloque III

Lección 11 Construcciones del mundo

Aquí aprenderás a expresarte por medio de algunos elementos del lenguaje arquitectónico.

Lo que conozco

Comenta con tus compañeros los tipos de casas que conoces, ¿por qué piensas que son diferentes?

Al caminar y recorrer el lugar donde vives, ¿te has detenido frente a una obra en construcción?, ¿qué observaste?

La **arquitectura** es considerada un lenguaje artístico, aunque no todas las construcciones son obras de arte. Sin embargo, todas comparten ciertos conceptos. Cualquier edificio o espacio creado por

Materiales:

El croquis que hiciste en la lección 7, materiales de reúso como cajas de cartón, latas de refresco, envases diversos, pintura vinílica, pinceles, pegamento y cualquier material que pueda servirte para la construcción de la ciudad.

el ser humano tiene una o varias formas específicas construidas de acuerdo con un diseño previo que partió del uso, de la función que se le quería dar. Además, cualquier casa o edificio tendrá cimientos, muros, columnas de sustentación, techos y aberturas para ventanas y puertas. Otros edificios, por ejemplo una iglesia, pueden tener arcos y bóvedas. Todos estos elementos forman parte de la estructura y serán trabajados con los materiales más adecuados.

Ilustración de Catal Huyuc, una ciudad prehistórica encontrada en la actual Turquía, cuyas casas de adobe y vigas se construyeron adosadas, sin calles ni pasajes entre ellas, el acceso era por medio de escaleras.

La Acrópolis, Atenas.

Castillo medieval,
Carcassone, Francia.

Construcciones antiguas
en Colmar, Alsacia, Francia.

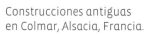

Casa de la cultura, Palacio
Clavijero, Morelia, Michoacán.

Observa detenidamente las imágenes que aparecen en esta lección, pon atención en las formas, los materiales, los colores. ¿Qué construcción parecida conoces? ¿Dónde la has visto? Decide si algún detalle de lo que observas puede servir para tu propia construcción.

Es momento de construir la ciudad que diseñaron en el bloque anterior.

- Realicen las construcciones; además de pensar en la función que tendrán, recuerden tomar en cuenta las formas y los colores que utilizarán, las texturas y cada detalle que decidan agregar.
- Usen el croquis que hicieron en la lección 7, pero si se les ocurren nuevas ideas, intégrenlas. ¿Listo?

- Al terminar, colóquense alrededor de su ciudad construida con materiales de reúso, observen cada uno de los detalles. ¿Les gustaría vivir ahí?, ¿cómo se organizaron para armarla entre todos?
- Compárenla con el lugar en el que viven. ¿Qué diferencias perciben? ¿Piensas que el lugar donde vives influye en tu manera de ser?

Aunque los paisajes rurales y urbanos son muy distintos entre sí, ambos requieren que sus construcciones estén bien planeadas y mantengan la armonía con el entorno. Esto puede lograrse con un buen diseño arquitectónico que tome en cuenta las características de la región y que trate de usar materiales propios del lugar.

Ciudad de México, 1995.

Un dato interesante

En algunos países las construcciones se realizan con los materiales disponibles en el lugar. Por ejemplo, los esquimales, que viven en Groenlandia, hacen sus casas de hielo y aunque no lo creas ¡son muy calientitas!

Actualmente también se construye con cosas que normalmente se consideran basura; por ejemplo, en Taiwán se utilizaron botellas de plástico en la construcción de un edificio, lo cual lo hará muy resistente a los terremotos.

Para la siguiente clase…

Necesitarás material de reúso como aserrín, hojas secas y piedras para realizar una escenografía. Para tu revista de danza: papel blanco y de colores, tijeras y pegamento. Deberás buscar en la Biblioteca Escolar y, si te es posible, en internet o en el lugar donde vives, imágenes que muestren escenas de baile; pueden ser fotografías, pinturas, esculturas o artesanías. Una música que te guste y un reproductor de sonido para todos.

Lección 12 Danza con las artes visuales

Aquí aprenderás a identificar las relaciones que existen entre la danza y las artes visuales.

Lo que conozco

¿Qué es una escenografía? ¿Se utiliza de igual modo en teatro que en danza?, ¿por qué?

En las artes escénicas la escenografía es el ambiente físico que rodea a los artistas. En ella se crea una atmósfera que conduce al espectador a escenarios que pueden ser mágicos o reales. Está conformada por elementos como la utilería escénica, la iluminación y los telones, todos juntos crean el ambiente para que se desarrolle la composición dancística.

Materiales:

Aserrín, hojas secas, piedras; imágenes de escenas de baile, papel blanco y de colores, tijeras y pegamento. Música y reproductor de sonido para todos.

¡Ha llegado el momento de realizar el proyecto escenográfico!

- Elijan un espacio para que sea su escenario.
- Formen dos equipos y elijan una secuencia dancística que tenga un tema.
- Seleccionen de todos los materiales reunidos, el mobiliario escolar, objetos del "Baúl del arte", el aserrín, hojas secas y piedras, así como los instrumentos que ustedes han fabricado, los objetos que les sean útiles de acuerdo al tema y realicen el montaje de la escenografía. Observen cómo se va transformado en un lugar sorprendente.
- Recuerden que cada equipo creará de acuerdo con su propia imaginación. Aunque tengan los mismos materiales para trabajar, el resultado siempre será diferente. Así es la creación artística.

Impresiones en el ánimo, compañía Realizando Ideas, A.C, 2008.

- Ahora, mientras un equipo presenta su secuencia dancística en su escenario, el otro observa. Después cambien para que todos participen.
- Comenten los resultados obtenidos. ¿Cómo se complementan las artes visuales y la danza? ¿Qué posibilidades tienen los objetos para transportarnos a otros ambientes y atmósferas?

- Estos comentarios escríbanlos en una hoja para su revista de danza.

¿Cómo va su revista de danza? La danza ha sido plasmada en grandes obras de la pintura y la escultura desde las culturas antiguas hasta la actualidad. En esta ocasión vamos a enriquecer la revista con la ayuda de las artes visuales.

Observa las imágenes, te pueden dar algunas ideas para realizar la portada de tu revista.

- Para la portada empleen los materiales que prefieran. En artes visuales ya conocieron diferentes técnicas que pueden emplear.
- Reúnan los materiales necesarios (tijeras, pegamento y papel de colores) y recortes que expresen movimiento.
- Ilustren los comentarios de la actividad anterior con los recortes.
- Hagan la portada de su revista con los materiales que prefieran.
- También incluyan la investigación que realizaron durante la semana sobre el tema de la danza y las artes visuales. Si no les da tiempo termínenla en casa.

Edgar Degas, *Ensayo del ballet en el escenario* (1874), óleo sobre tela, 81 x 65 cm.

Henri Matisse, *La danza* (1911), óleo sobre tela, 319 x 260 cm.

Consulta en:
Si te interesa conocer más sobre la danza y las artes visuales localiza en el portal HDT el recurso Una aventura imaginaria.

Lección 13 Tiempo de compás II

Para continuar adentrándote en el tema del compás, aquí aprenderás a identificar los compases de 3/4 y 4/4 en diversas piezas musicales y realizarás patrones rítmicos con ellos.

Lo que conozco

¿Cuál es el tiempo que siempre debe acentuarse en el compás de 2/4?

Materiales:

La música que más te agrade y un reproductor de sonido para todos.

En la lección de música del bloque anterior "Tiempo de compás I", aprendiste las características del compás de 2/4. Recuerda que el numerador indica cuántos tiempos tiene el compás, mientras que el denominador señala cuánto vale cada uno de esos tiempos. Entonces, un compás de 3/4 tiene tres tiempos y cada uno de ellos vale un cuarto o una negra. ¿Qué sucede con el compás de 4/4? ¿Cuántos tiempos tiene y cuánto vale cada uno?

El primer tiempo de un compás de 3/4 es fuerte y los otros dos son suaves. Un compás de 4/4 tendrá fuertes el primero y el tercer tiempo y suaves el segundo y el cuarto. Estos ejemplos te ayudarán a comprender mejor este tema.

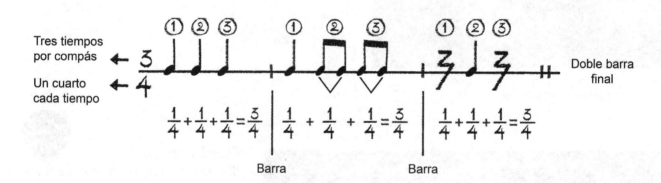

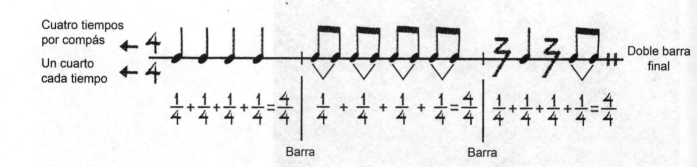

Practica con los siguientes ejercicios.

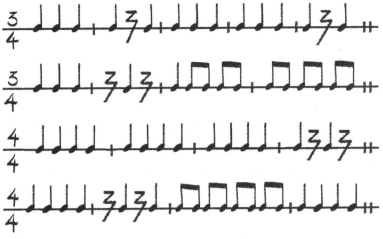

Un dato interesante
Desde muy joven, el compositor Carlos Chávez (1899-1978) se interesó por integrar la música tradicional y prehispánica a sus creaciones sinfónicas. Con el paso del tiempo sus esfuerzos lo llevaron a constituir la Orquesta Sinfónica Nacional y el Conservatorio Nacional de Música.

En una hoja blanca puedes inventar tus propios ejercicios: escríbelos en cualquier compás e intercámbialos con tus compañeros, luego intenten leerlos con la voz o con las palmas.

¿Cuando realizas ejercicios con el compás de 2/4 viene alguna canción a tu mente? ¿Cuál? ¿Y con el de 3/4?

Para concluir la clase, escuchen algunas grabaciones e identifiquen en qué compás están escritas; la clave es reconocer los tiempos fuertes o acentuados. Por ejemplo, si al escuchar una pieza sienten un tiempo fuerte precedido de dos débiles, estarán, entonces, en un compás de tres cuartos. Es posible que en algunas piezas no puedan identificarlo, ya que en la música hay muchas variedades de compases.

Los compases pueden marcarse con las manos dibujando cada tiempo en el aire. Esto es algo de lo mucho que hace un director de orquesta para que todos sus músicos vayan siempre juntos.

Para la siguiente clase…
Necesitarás los diálogos
"Un secreto de familia".

Lección 14 Pídele al tiempo que vuelva

Aquí aprenderás a interactuar con tus compañeros en función de distintas propuestas y a reconocer la diferencia entre el tiempo real y el ficticio.

Lo que conozco

¿Consideras que una acción realizada hace mucho tiempo y una acción realizada ahora mismo son iguales?, ¿por qué?

¿Qué diferencia encuentras entre un hecho real y uno ficticio?

Materiales:

Los diálogos "Un secreto de familia".

En el teatro se mezcla la realidad con la ficción, es decir, el autor puede integrar en una historia hechos reales con otros que nunca ocurrieron. Cuando inventas una historia estás haciendo una ficción.

Hay muchas posibilidades para contar historias. En la vida, los sucesos siempre ocurren en presente, no podemos regresar al pasado, o adelantarnos a vivir el futuro. Sin embargo, cuando cuentas una historia puedes modificar el tiempo y el orden en el que ocurre el acontecimiento, así como las acciones de los personajes.

Escribe en los siguientes cuadros lo más importante que te sucedió ayer, lo que te está sucediendo hoy y lo que imaginas que te sucederá mañana:

Lo que me pasó ayer	Lo que me está sucediendo hoy	Lo que supongo que me pasará mañana

Consulta en:
El portal de HDT, el recurso Guiones de teatro (la bienvenida).

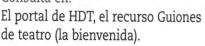

54

BLOQUE III

Sueño de una noche de verano, de William Shakespeare, dirección: José Solé, 1969.

Sueño de una noche de verano, de William Shakespeare, dirección: Juliana Faesler, 2009.

Reúnete con el equipo con el que trabajaste en la lección de teatro "Un secreto de familia".

- Recuerden la historia que interpretaron en esa lección. Imaginen qué sucedió antes y después del momento representado por los personajes y coméntenlo en equipo.
- Con su texto "Un secreto de familia" comenten qué ocurre en cada una de las partes de la historia.
- Armarán su historia jugando con el tiempo; por ejemplo, imaginen que esta misma historia ocurrió hace miles de años o que ocurrirá dentro de muchos años más. ¿Cómo sería el escenario?, ¿qué pasaría con el vestuario y el lenguaje?
- Representen su historia en distintas épocas, considerando cada una de las circunstancias que requiera.

Para la siguiente clase...
Necesitarás fotografías o recortes de diversas construcciones arquitectónicas, de preferencia del lugar en donde vives.

Comenta con tus compañeros: ¿fue interesante ver un mismo acontecimiento en diferentes épocas?, ¿por qué? ¿Lograste imaginarlo y representarlo en equipo?

¿Qué consideras que hizo falta?, anótalo aquí:

_____

_____

_____

_____

_____

Construir una historia en equipo es un reto, pues cada quien propone ideas distintas; sin embargo, si logran ver la riqueza de cada propuesta y pueden incluirlas, la historia será más completa e interesante.

Integro lo aprendido

¿Cuántas historias pueden ocurrir dentro de una imagen? Ahora van a realizar algunas actividades que integran diferentes disciplinas artísticas.

Materiales:
Fotografías o recortes de diversas construcciones arquitectónicas.

Stonehenge, construcciones megalíticas de hace unos cinco mil años, Inglaterra.

Edificio bailador Ginger y Fred, de Frank Gehry, República Checa.

Elijan una pared de su salón y organícense para crear un mural con las fotografías y recortes que trajeron.

Van a utilizar su mural como escenografía de un ejercicio de expresión corporal y teatro.

- Formen una fila y uno de ustedes se colocará frente al mural e imaginará una situación que pudiera vivirse dentro de la escenografía; todas las propuestas son buenas.
- Luego, pasará el siguiente en la fila y se integrará a la propuesta del primer compañero pero ahora por medio de diálogos breves.
- Después se incorporará otro alumno e inmediatamente pasará el siguiente y así hasta que todos participen; cada uno propondrá una nueva situación. Pueden incluir un canto o una danza. La improvisación debe ser rápida y ágil, máximo diez segundos cada intervención.
- Repitan el ejercicio cuantas veces quieran, seguramente habrá escenas muy divertidas. Recuerden siempre utilizar la escenografía que realizaron.

Casas cúbicas,
de Piet Blon, Holanda.

Al final comenten cuáles fueron las escenas que más les gustaron o que les hicieron reír y analicen por qué.

Es común que en el teatro se junten varias disciplinas artísticas como la danza o la pintura. Cuando se tiene la oportunidad de asistir a una función de teatro musical se puede disfrutar admirando la arquitectura del edificio donde transcurre la obra, la música en vivo, las gigantescas pinturas de la escenografía y los números de baile.

Para la siguiente clase...
Necesitarás elementos de la naturaleza del lugar donde vives, objetos de reúso y cotidianos, diversos materiales como madera, plástico o metal, cuida que estén limpios y no tengan partes afiladas o rebabas. También trae pinturas o fotografías.

El diluvio que viene; espectáculo dirigido por Héctor Bonilla, 2008.

Autoevaluación

Es tiempo de que revises lo que has aprendido después de trabajar en este bloque. Lee cada enunciado y elige la opción que consideres correcta.

	Lo hago muy bien	Lo hago a veces	Necesito ayuda para hacerlo
Identifico algunos elementos del lenguaje arquitectónico.			
Determino la relación que existe entre la danza y artes visuales.			
Diferencio los compases de 2/4, 3/4 y 4/4 en las piezas musicales.			
Comprendo la diferencia entre tiempo real y tiempo ficticio en un obra de teatro.			
Ejecuto ejercicios rítmicos de 2/4, 3/4 y 4/4.			
Represento momentos de la vida cotidiana de otras épocas.			

Describe una situación en la que apliques lo que aprendiste, hiciste o investigaste en este bloque. _____

_____

	Siempre	Lo hago a veces	Difícilmente lo hago
Valoro la importancia de expresar mis sentimientos con claridad.			
Comparto con la comunidad escolar la revista de danza.			

Me propongo mejorar en: _____

_____

Bloque IV

Lección 15 ¿Qué es una instalación artística?

Aquí aprenderás a reconocer a la instalación como un recurso más para manifestar ideas creativas y experiencias personales.

Lo que conozco

Para ti ¿qué es una instalación artística? ¿Las has visto?

Otra manifestación del arte que trabaja con el espacio es la **instalación**. Ésta es una forma de expresión relativamente nueva que ha venido desarrollándose durante el siglo XX y hasta hoy.

Se llama instalación a un grupo de objetos colocados en un espacio específico por un artista, cuya intención es apropiarse y modificar temporalmente el espacio elegido. Así como en la pintura el soporte puede ser papel o tela; en la instalación el soporte es el espacio, y las formas son dadas por los elementos que el artista elige usar.

Para realizar y comunicar al público su idea, el artista utiliza cualquier tipo de objetos o cosas y las coloca de tal manera que expresen lo que él desea transmitir. En una instalación pueden usar objetos, fotografías, pinturas o cualquier elemento que sirva para lograr el objetivo que buscan. Un rincón de tu escuela también puede convertirse en un espacio artístico, porque las instalaciones se pueden ubicar en

Materiales:
Elementos de la naturaleza del lugar donde vives, objetos de reúso y cotidianos, diversos materiales como madera, plástico o metal; pinturas o fotografías.

Grupo Horma, *Lo que el viento a Juárez*, instalación artística, Ciudad de México, 2008.

cualquier lugar y no es necesario que sea un museo o una galería. En ocasiones, el artista busca que los espectadores interactúen con la obra de diferentes maneras, puede ser entrando en la instalación o hasta moviendo los objetos que la componen.

Observa las dos imágenes que aparecen en la lección y comenta con tus compañeros qué materiales y objetos se utilizaron, en qué tipo de espacio se realizó y cuáles son los temas y los mensajes que quisieron transmitir estos artistas.

Junto con tus compañeros hagan una instalación. Esta manifestación de arte necesita, igual que todas las demás que ya conoces, de un proceso que va desde la planeación y la realización por parte del artista hasta su presentación ante un público que lo interpretará.

¿Qué les gustaría transmitir?

Elijan un tema de su interés, comenten y anoten todo aquello que les sirva de guía

para poder expresar su idea. Si lo necesitan, pueden hacer bocetos de apoyo.

¿Qué lugar elegirían para colocarla?, ¿qué objetos les servirían para lograr transmitir sus ideas? Utilicen los materiales traídos de casa, del "Baúl del arte" y los que tengan a la mano. Pueden incorporar fotografías, video, textos orales e impresos, música, o lo que requieran.

Una vez que terminen, recuerden la idea que eligieron transmitir.

Comenten en el grupo si están de acuerdo con los resultados obtenidos y con la forma en que resolvieron las dificultades.

Las instalaciones, como otras manifestaciones del arte, expresan las ideas y los pensamientos del creador al público que las observa.

Para la siguiente clase...

Necesitarás investigar sobre una danza autóctona del lugar donde vives. Música que te guste y un reproductor de sonido para todo el grupo.

Consulta en:

Si quieres conocer una artista mexicana que hizo instalaciones, busca a
http://www.helen-escobedo.com/index.html

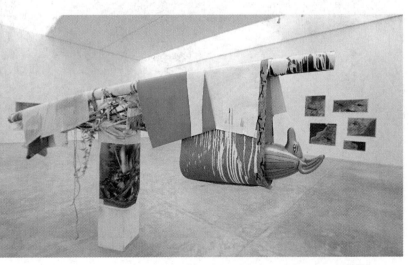

Isa Genzken (1948), Fahnenstange (2009), Instalación en el Museo Universitario de Arte Contemporáneo, UNAM, 410 x 115 x 190 cm.

Lección 16 Las danzas folclóricas del mundo

Aquí aprenderás a diferenciar los elementos característicos de las *danzas folclóricas* del mundo respecto de las danzas de los pueblos originarios, también llamadas autóctonas.

Lo que conozco

¿Qué tipos de danzas autóctonas conoces? ¿En el lugar donde vives existe alguna?, ¿qué características tiene?

Materiales:

La investigación que realizaste sobre una danza autóctona del lugar donde vives.

Las tradiciones y costumbres de todo el mundo se expresan y representan de muchas maneras, una de ellas son *las danzas folclóricas*, que nos transmiten información sobre las distintas formas de vida de cada país.

Las danzas autóctonas tienen un sentido ritual, ceremonial o religioso. Se caracterizan por el uso de vestuarios creados con los recursos de su entorno; se representan al aire libre en festividades o ceremonias del lugar donde viven, participa toda la comunidad.

Ballet Nacional Folclórico de China, 2002.

La riqueza, el colorido y los movimientos de las danzas han hecho que algunas de ellas formen parte del acervo denominado: Patrimonio Cultural de la Humanidad.

- Formen equipos e investiguen algunos movimientos o imaginen cómo se bailan las danzas autóctonas en India, Grecia, China y otros lugares del mundo.
- Elaboren una composición de secuencias dancísticas o realicen la secuencia de una danza folclórica y organícense para bailar.

Una vez terminada la ejecución, contesten individualmente lo siguiente:

¿Consideras que las danzas autóctonas de otros lugares son iguales que las de nuestro país? ¿Por qué? ¿En qué se parecen y en qué son diferentes?

Anart, donde la danza prevalece por siempre, compañía Aavishkar, India, 2006.

Ahora comenten sus respuestas en equipo, lleguen a una sola conclusión, considerando las aportaciones de cada integrante.

Conociste las diferencias de las danzas folclóricas respecto de las danzas autóctonas. Investigar y crear secuencias de movimiento te permitió aplicar tus conocimientos. No olvides utilizarlos como un tema para la revista de danza.

Un dato interesante

En el mes de noviembre de 2010, *Los parachicos,* una fiesta tradicional que tiene lugar en enero en Chiapa de Corzo, Chiapas, fue declarada patrimonio cultural inmaterial de la humanidad por la Organización de Naciones Unidas para la Educación, la Ciencia y la Cultura (UNESCO). También se declararon dentro de esa categoría *la pirekua,* canto tradicional purépecha, y la comida mexicana.

Para la siguiente clase... Necesitarás uno o varios globos grandes o material elástico que no se rompa, una o varias ligas y un cilindro (bote, tubo de cartón o vaso desechable).

Lección 17 No son corchos, son corcheas

Aquí aprenderás a reconocer e identificar el valor de octavo (o corchea).

Lo que conozco
¿Con qué otro nombre se le conoce a la figura de negra?

En la lección anterior has comenzado a usar dos figuras básicas de la lectura musical. Repasa lo que aprendiste leyendo estos ejercicios. Recuerda que tanto la negra como su silencio valen un tiempo, que todos los tiempos deben ser iguales y que dices la sílaba "ta" en cada negra y "shh" en cada silencio.

Ahora conocerás una nueva figura: la corchea, aquí la tienes.

El palito de la nota se llama **plica** y puede ir hacia arriba o hacia abajo. El trazo que va al final de la plica se llama corchete. Las **corcheas** se pueden escribir solas o por pares, tal y como lo ves aquí.

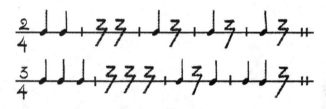

Materiales:
Uno o varios globos grandes o material elástico que no se rompa, una o varias ligas y un cilindro (puede ser un bote, un tubo de cartón, o un vaso desechable).

Comenzarás a leerlas por pares.

$$\text{♩} = \text{♪ ♪}$$

$$\frac{1}{4} = \frac{1}{8} + \frac{1}{8}$$

Las corcheas valen medio tiempo, por lo tanto, en un tiempo caben dos corcheas. Dos corcheas son igual a una negra. Vamos poco a poco para que no te confundas. Lee el siguiente ejemplo.

Como puedes ver, este ejercicio se lee: "**ta**-ta-**ta**-ta-**ta**-ta". Para leer las corcheas por pares usarás la sílaba "mi" repetida, una por cada corchea "mi-mi". Recuerda que en cada tiempo caben dos corcheas, así que el equivalente de este ejercicio se escribe así:

Y se lee: "**mi**-mi, mi-mi, **mi**-mi, mi-mi, **mi**-mi, mi-mi". Doce corcheas porque antes había seis negras. Es sumamente importante que no leas cada una por tiempo. Son dos corcheas en cada tiempo.

Vuelve a leer los párrafos y los ejemplos anteriores cuantas veces creas que es necesario para que los entiendas bien. Júntate con tus compañeros para reafirmar lo que entendiste.

- Realiza los siguientes ejercicios, los primeros te ayudan con las sílabas. Seguramente los últimos podrás hacerlos sin ayuda.

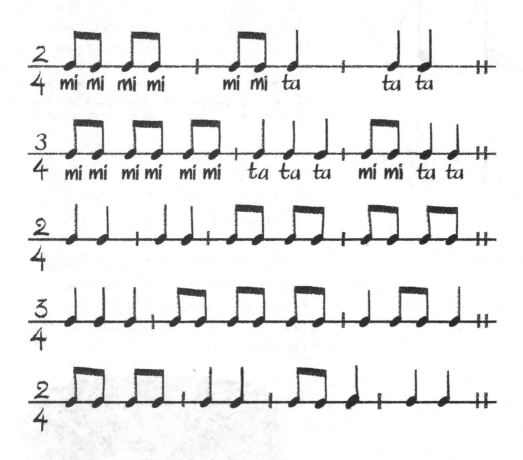

¿Mucho trabajo? Los estudiantes de música practican muchas horas al día. ¿Te gustaría inventar tus propios ritmos? ¡Inténtalo!

Lección 18 La tragedia y la comedia

En esta lección conocerás los géneros teatrales llamados comedia y tragedia.

Lo que conozco

¿Qué tipos de historias imaginas que pueden contarse en una obra de teatro? ¿Conoces algún género teatral? ¿Cuál?

¿Te imaginas todo lo que se puede contar en una obra de teatro? En la Grecia antigua, donde floreció el teatro clásico, los dramaturgos desarrollaron sus historias como tragedias o como comedias. En aquellos tiempos pocas personas sabían leer y escribir. El teatro, al igual que la música, la danza y la escultura, se usaba para comunicar ideas y, sobre todo, para transmitir el conocimiento y la cultura.

La comedia es una historia que ridiculiza los vicios de los personajes. Los diálogos exageran la avaricia, la soberbia, la arrogancia, la envidia y otros defectos, para que el espectador pueda reírse de ellos y, a la vez, se observe a sí mismo.

En la tragedia, los actos de los personajes tienen consecuencias que nunca desearon, provocando un desenlace doloroso. El final puede ser la muerte del personaje principal. En estas obras, el espectador se conmueve con el comportamiento ejemplar de los personajes ante la adversidad.

Ambos géneros, comedia y tragedia, muestran las debilidades del ser humano y su fortaleza para resolver los conflictos que se le presentan.

¿Conoces alguna historia del lugar donde vives que pueda servir como argumento para elaborar una comedia? Tal vez has leído o te han contado alguna historia que pudiera ser una tragedia.

- Coméntalas con tus compañeros, formen equipos y elijan con qué género prefieren trabajar.
- Utilizando los diálogos y las historias que has desarrollado en las lecciones u otras nuevas, reelaboren alguna para darle un desenlace trágico o cómico.

El Quijote, Ux onodanza, Danza Bizarra AC, 2005.

¡Ay! Quixote, compañía Teatro Malandro, 2002.

¡Quijote!, Teatro Núcleo, Italia, 2002.

El siguiente cuadro puede servirte de guía.

Nombre de la obra:	
Autores:	
Género:	
Personaje(s) principal(es):	
Personaje(s) secundario(s):	
Dónde se sitúa:	
Cuál es el conflicto:	
Cuál es el desenlace:	
Número de actos:	

Un dato interesante
Hay grandes comedias muy conocidas como *El avaro*, de Molière, pero las tragedias como *Hamlet* y *Romeo y Julieta*, de William Shakespeare, son las favoritas del público.

Para la siguiente clase...
Necesitarás objetos diversos que puedas traer de casa y otros que estén dentro del "Baúl del arte".

Integro lo aprendido

¿Sabías que las grandes puntas de las torres de las iglesias en la arquitectura gótica de la Edad Media aludían a un deseo de alcanzar el cielo?

El arte ha sido un reflejo de la historia de la humanidad. En él se plasman las ideas, las formas de vida y los acontecimientos importantes de cada época. A lo largo de este bloque aprendiste que cada país tiene una danza que lo identifica; que en Grecia surgieron la tragedia y la comedia para comunicar ideas y valores de la época y que la instalación es una expresión artística contemporánea.

En esta clase te sugerimos retomar algunas de las experiencias vividas en este bloque para que las combines y observes cómo te puedes expresar al combinar distintos lenguajes artísticos.

Materiales:

Objetos diversos que puedas traer de casa y otros que estén dentro del "Baúl del arte".

De acuerdo con tus conocimientos sobre la instalación y el género de la comedia, ¿cómo podrías hacer una instalación cómica? Forma equipo con tus compañeros para hacer una lluvia de ideas. Les sugerimos algunas:

- Busquen transformar los usos o las posiciones cotidianas de los objetos que vayan a utilizar.
- Piensen en representar ideas opuestas o exageradas.
- Si los compañeros van a formar parte de la instalación, obsérvense a sí mismos, representen su personalidad exagerando sus defectos y virtudes, como hacían los griegos, pero siempre de manera muy respetuosa.

- Finalmente incorporen música en su instalación, ¿cómo podrían crear música cómica integrando los valores de negras, silencio y corcheas? ¡Anímense a componer una pieza rítmica que suene cómica!

Presenten sus instalaciones. ¿Lograron hacer reír a su público?, ¿cómo utilizaron o transformaron el espacio y los objetos?

Entre muchas, una de las funciones del arte es provocar o lograr que el público se identifique con la obra, sienta y reflexione sobre sí mismo y su entorno a partir de una obra, así como tú lo hiciste en esta lección.

Para la siguiente clase... Necesitarás una investigación sobre el tema "el mural". Pintura vinílica blanca, roja, amarilla y azul, una hoja blanca, lápiz o carboncillo, un soporte de aproximadamente un metro de largo por tres de ancho, un alfiler y cinta adhesiva.

Autoevaluación

Es tiempo de que revises lo que has aprendido después de trabajar en este bloque. Lee cada enunciado y elige la opción que consideres correcta.

	Lo hago muy bien	Lo hago a veces	Necesito ayuda para hacerlo
Identifico la instalación como forma de expresar ideas y experiencias.			
Distingo las danzas folclóricas de las danzas autóctonas.			
Identifico las grafías de un octavo o corchea.			
Diferencio las tragedias de las comedias en el teatro.			
Represento danzas autóctonas mediante secuencias dancísticas.			
Diseño algunas instalaciones artísticas que se relacionan con mi vida cotidiana.			

Describe una situación en la que apliques lo que aprendiste, hiciste o investigaste en este bloque. _____

_____

	Siempre	Lo hago a veces	Difícilmente lo hago
Intervengo activamente en la solución de problemas.			
Valoro el trabajo en equipo.			

Me propongo mejorar en: _____

_____

Bloque V

Lección 19 Pintar a lo grande

Aquí aprenderás a reconocer y a utilizar en forma creativa el lenguaje de la pintura mural.

Lo que conozco

Para ti, ¿qué es un mural? ¿Has visto murales en tu comunidad?, ¿qué temas están plasmados?

Materiales:

Tu investigación sobre el mural. Pintura vinílica blanca, roja, amarilla y azul, una hoja blanca, papel grande, lápiz o carboncillo, un soporte de aproximadamente un metro de largo por tres de ancho, un alfiler y cinta adhesiva.

¿Recuerdas las pinturas rupestres?, el soporte de estas pinturas eran las paredes de las cavernas. Éstas fueron las primeras pinturas murales. Comenta con tus compañeros qué nos cuentan esas pinturas.

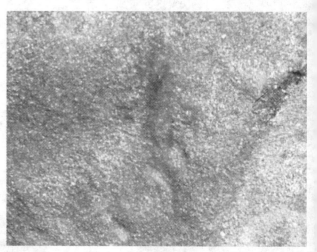

El diablito, pintura rupestre ubicada en la península de Baja California, 20 x 10 cm.

150 cm

Hombre-jaguar (detalle) (c. 700), pintura al fresco, 180 x 170 cm, Cacaxtla, Tlaxcala.

La pintura mural es una imagen pintada en un muro o pared de gran tamaño, forma parte del espacio arquitectónico y puede ser usado como un medio de información.

El arte mural se desarrolló de manera paulatina a lo largo de la historia: en cuevas, tumbas, templos y viviendas de la antigüedad. Durante el periodo del Renacimiento, en el siglo XVI, tuvo una época de esplendor; un ejemplo es el mural de la Capilla Sixtina *El Juicio Final*, de Miguel Ángel Buonarroti. El muralismo mexicano es un movimiento artístico que se identificó con las luchas posrevolucionarias y socioculturales, en la primera mitad del siglo XX. Algunos representantes de este movimiento son José Clemente Orozco (1883-1949), David Alfaro Siqueiros (1890-1974) y Diego Rivera (1886-1957), quienes en sus murales expresaron sus sentimientos, desacuerdos e ideales.

Para tener más información sobre este tema consulta el bloque III de tu libro de Historia, quinto grado.

Miguel Ángel Buonarroti, Capilla Sixtina (1508-1512), pintura al fresco, 20.7 m de altura x 40.93 de largo x 13.41 de ancho.

- Con la colaboración de tu maestro comenta en grupo los resultados de la investigación y piensa cómo los puedes aplicar para hacer un mural.
- Comenta con tus compañeros, ¿qué ves en el mural? ¿Qué te dice la imagen? ¿Quiénes están representados? ¿Qué mensaje te da?
- Tú puedes crear un mural para expresar tu forma de pensar. Dividan el grupo en equipos. Elijan un tema, para ello, tomen acuerdos, recuerden que la opinión de todos es valiosa.

Puede ser cualquier problema: ecológico, social, trastornos de conducta alimentaria o pueden elegir representar algún tema que les parezca importante y lleve al espectador a reflexionar.

- Realicen un boceto en una hoja tamaño carta.
- Cuelguen o peguen en el muro del salón sus papeles grandes.
- Ahora pasen el boceto pequeño al soporte mayor con su lápiz o carboncillo.
- Den color a la obra mezclando los colores como lo han aprendido ya.
- Trabajen en conjunto prestando atención en la composición, las formas y los colores para que logren transmitir de la mejor manera aquello que les preocupa.
- Cuando hayan terminado, muestren su trabajo a los demás equipos.

150 cm

José Clemente Orozco, *Los aristócratas* (fragmento) (1923-1924), pintura al fresco, 900 x 350 cm, aprox., Antiguo Colegio de San Idelfonso, Ciudad de México.

¿Piensas que los grafittis son obras artísticas por estar pintados en muros? ¿Podrían parecerse a los murales?, ¿en qué se parecen y en qué son diferentes? Si existe algún mural en tu ciudad o en un lugar cercano, pide a tus papás que te lleven a conocerlo.

Un dato interesante

En Argelia se encuentra el mural de azulejos más grande del mundo. Son dos mil metros cuadrados decorados con motivos africanos y se necesitaron ¡55 mil azulejos! para realizarlo.

Consulta en:

Si quieres saber más sobre el muralismo mexicano, mira aquí:

http://redescolar.ilce.edu.mx/redescolar/proyectos/acercarte/arte_mexicano/artemex6/artmex06.htm

Para la siguiente clase…

Necesitarás música de bailes populares, un reproductor de sonido y una investigación de lo que bailaban los integrantes de tu familia cuando eran jóvenes. Consigue fotos de bailes populares: tal vez tus papás te regalen algunas, busca en revistas y en periódicos.

Eyel, sin título (2008), graffiti, 400 x 400 cm.

Lección 20 Bailes de todos los tiempos

En esta lección aprenderás a identificar los elementos que caracterizan los diferentes bailes populares del mundo.

Lo que conozco

¿Qué música se baila en tus fiestas? ¿Has asistido a fiestas en donde bailen de otro modo? ¿Por qué piensas que es así?

Los bailes populares son para celebrar o festejar. Representan periodos y formas de ser y actuar en una sociedad. Se realizan en salones o espacios al aire libre, los puedes apreciar en las fiestas familiares y en las ferias de tu región. Estos bailes son el género más amplio de la danza. Algunos de estos son el mambo, el danzón, la salsa, el *fox trot*, el *charleston*, el tango, el *rock* y el cha-cha-chá.

Materiales:

Música de bailes populares y un reproductor de sonido; la investigación que realizaste sobre estos bailes y fotos donde aparezcan.

Rock around the clock, Estados Unidos.

Bailarines de tango en Buenos Aires, Argentina.

- Formen parejas y elijan algún baile popular, seguramente algunos de tus compañeros o tu maestro conocen pasos de baile; compartan lo que sepan y ¡todos a bailar por el salón!
- El baile popular que interpretaste quizá no es de tu época, ¿a cuál corresponde?, ¿cuál consideras que sea el baile popular que representa tu época?

- Con la investigación y las fotos que trajiste de casa, haz un nuevo número de tu revista de danza con el tema de los bailes populares.
- Por este año, éste será el último número de tu revista de danza. Sin embargo puedes repetir la experiencia armando nuevas revistas en las que integres artículos de otras disciplinas artísticas o de temas que sean de tu interés.

Para la siguiente clase…
Necesitarás uno o varios globos grandes o material elástico que no se rompa, una o varias ligas, y un bote de cartón o de metal.

Danzoneros en un domingo. Plaza de armas de Veracruz, 2005.

Lección 21 Sopa de notas

Con todo lo que has aprendido hasta el momento acerca de la escritura musical podrás combinar el valor negra (cuarto) y su silencio con el de corchea (octavo), integrándolos a los compases de 2/4, 3/4 y 4/4, ¡en tus propias composiciones!

Lo que conozco

Menciona para qué sirve el compás en la música.

_____

_____

_____

_____

Materiales:

Uno o varios globos grandes o material elástico que no se rompa, una o varias ligas, y un bote de cartón o de metal.

Inventa, en un cuaderno, tus propios ejercicios rítmicos y practícalos recordando siempre lo siguiente:

- Mantén siempre el pulso.
- Puedes marcar cada tiempo con las palmas y con el pie.
- Para marcar las negras con la voz usa la sílaba "ta".
- Para el silencio de negra usa "shh".
- Marca las corcheas con "mi-mi", dos en cada tiempo y no una por tiempo.

Intercambia tu cuaderno con otros compañeros y lee los ejercicios. Practica en tu casa e inventa más ejercicios rítmicos.

Para realizar estos ejercicios puedes construir un instrumento de percusión. A un cilindro colócale un globo estirado o cualquier material elástico en la boca y sujétalo con una liga para que quede bien firme. Mientras más estirado esté el globo, mejor sonará tu instrumento al golpearlo. Observa el ejemplo.

Los instrumentos que hacen vibrar una membrana tensada para producir sonidos como el tambor, los bongoes, los timbales o la gran caja, se clasifican como **membranófonos**.

Juega con las negras, los silencios y las corcheas. En lugar de mencionarlas con tu voz, márcalas golpeando tu instrumento: cada negra márcala con un golpe por tiempo, en el silencio sigue diciendo "shh" sin tocar el instrumento y da dos golpes en cada tiempo para marcar las corcheas.

Aquí tienes un par de sugerencias que pueden resultarte interesantes para combinar figuras y crear tus propios ritmos:

- Sobre un mismo pulso, inventa con un compañero dos ejercicios diferentes en un mismo compás y con la misma duración ¡y tóquenlos al mismo tiempo!
- Después pueden combinar tres, cuatro, cinco o todos los ejercicios que quieran, siempre y cuando usen el mismo compás y sigan el mismo pulso.
- Otra posibilidad es que escuches tu canción favorita, identifiques su pulso y su compás y compongas tu propio acompañamiento rítmico.

Si lo deseas, puedes comenzar a investigar sobre cómo se escriben las melodías; con ello lograrás componer pequeñas canciones. No te limites, pregunta si cerca de tu casa, hay una escuela que enseñe a tocar algún instrumento, o si hay un músico en el lugar donde vives que pueda enseñarte. ¡Imagínate creando tu propia música!

Lección 22 ¡Finalmente, una obra de teatro!

Aquí aprenderás a identificar los elementos de una obra de teatro y participarás en una puesta en escena.

Lo que conozco

¿Qué te imaginas que sucede detrás del escenario en una representación teatral?

El teatro es una disciplina que requiere que los artistas integren sus habilidades y talentos, además de que disfruten trabajar en equipo. Una obra de teatro requiere tanto de elementos muy diversos como del trabajo de muchas personas.

¿Quiénes participan en una obra de teatro?

El **dramaturgo** escribe el texto teatral o le hace adaptaciones para poder representar la obra.

El **director** conoce el texto e imagina cómo realizar la obra. Dirige la actuación de los actores y se encarga de coordinar el equipo creativo.

Los actores interpretan a los personajes de la obra, deben aprender su texto e interpretarlo con su voz y su cuerpo. Es muy importante que estén dispuestos a trabajar en colaboración con los otros actores y con el director.

El escenógrafo debe realizar la ambientación de cada escena con elementos visuales: objetos de utilería, telones pintados, estructuras, sistemas mecánicos, entre otras muchas cosas.

El vestuarista diseña y elabora el vestuario de cada personaje. Es muy importante que logre representar la época en que está ubicada la obra, el contexto social y el oficio de los personajes.

Los locos de Valencia, compañía Perro Teatro, México, 2009.

El productor resuelve todos los aspectos prácticos del montaje y soluciona conflictos. Hace que la obra sea posible porque atiende y resuelve todo aquello que se encuentra fuera del montaje, como la difusión y el financiamiento de la obra.

Existe también un **equipo técnico** que se encarga de la iluminación y, en algunos casos, de la correcta disposición en escena de la escenografía y la utilería.

El músico selecciona o compone las piezas musicales según las necesidades de cada escena y de acuerdo con las emociones que se quieran resaltar. También puede asesorar a los actores cuando tienen que cantar o tocar un instrumento.

Para montar su obra de teatro:

- Elijan uno de los textos que elaboraron en lecciones pasadas.
- Entre todos nombren un director y un asistente.
- Divídanse en cinco equipos: dramaturgos, actores, productores, escenógrafos y vestuaristas. Cada equipo preparará su trabajo durante la semana.
- El equipo de dramaturgia adaptará el texto original al número de actores y a los recursos de que dispongan.

- El director elegirá el espacio (salón, patio, auditorio) y decidirá qué partes de la obra tendrán música y danza, además de proporcionar ideas a los demás miembros del equipo.
- Los actores aprenderán sus textos y ensayarán su actuación; recuerden utilizar todas las posibilidades de expresión de su cuerpo y de su voz.
- Una puesta en escena es una labor que requiere mucha organización, por lo que es posible que deban reunirse varias ocasiones para llevar a cabo esta actividad

En el teatro, el trabajo en equipo es necesario porque en él se integran todas las disciplinas artísticas. Utilicen todos los recursos de sus clases de Educación Artística para lograr un gran resultado.

Para la siguiente clase…

Investiga al menos tres bailes populares de otros países o del lugar en donde vives y consigue la música de alguno de ellos. Necesitarás las pinturas que realizaste en la lección 19, sombreros, collares, maquillaje y cosas que te sirvan como vestuario. Trae los instrumentos que has elaborado en tu clase de música.

Consulta en:
Diviértete creando tu propia escena de teatro jugando con los distintos elementos de un montaje.
http://www.a.gob.mx/#/aensayar.
Haz click en "Historias y personajes para el teatro".

Integro lo aprendido

La pintura mural se puede encontrar en los espacios arquitectónicos de los edificios públicos y puede ser apreciada por todos.

La música, el teatro y la danza muchas veces requieren un espacio específico que tenga buena acústica para que no se pierda el sonido. En ocasiones también necesitan iluminación especial para distinguir mejor a los actores o bailarines. Esos espacios pueden ser salas de concierto, foros y teatros. Sin embargo, como has visto en tus clases de Educación Artística, tanto el teatro como la música y la danza pueden adaptarse a cualquier espacio, siempre y cuando se logre tener un público atento y entusiasta.

Materiales:

Tu investigación y la música de los bailes populares, las pinturas que realizaste en la lección 19 "Pintar a lo grande", cosas que te sirvan como vestuario y los instrumentos que has elaborado en tu clase de música.

- En su salón o patio de la escuela hagan espacio para trazar un escenario, como lo han hecho en sus lecciones de teatro.
- Dividan su grupo en cuatro equipos: uno de bailarines, otro de músicos, otro de escenógrafos y uno más de vestuaristas.
- El equipo de escenografía utilizará las pinturas murales que hicieron en su lección "Pintar a lo grande". Observen detenidamente las pinturas y decidan cómo hacer con ellas una escenografía. Pónganse de acuerdo sobre el lugar que debe ocupar cada pintura. Pueden utilizar sillas o mesas para que sirvan de apoyo, también pueden emplear objetos del "Baúl del arte" como utilería.

¡Ay! Quixote, compañía Teatro Malandro, 2002.

- El equipo de bailarines deberá decidir, a partir de los colores y los temas representados por las pinturas, qué baile quieren representar en ese escenario: deberán comunicar su decisión al equipo de músicos para que puedan tocar adecuadamente.
- Los vestuaristas prepararán el vestuario de los bailarines inspirándose en los murales y en la música del baile. También deberán maquillarlos, si consideran que es necesario.
- Los músicos deberán escuchar la música del baile e identificar los tiempos, pueden marcarlos con sus instrumentos de percusión y, cuando distingan la melodía, integrar otros instrumentos. Ensayen y cuando estén acoplados ¡que comience la fiesta!
- En el escenario hagan, con los colores, la música y la danza, una gran fiesta. Los vestuaristas y escenógrafos también pueden integrarse al baile o participar en la música.

Recuerden que el arte enriquece nuestra vida, nuestra comunidad y nuestra cultura porque a través de él podemos aprender a conocer a la naturaleza, a la gente y a nosotros mismos.

Pero quizá lo más importante que nos da el arte es la oportunidad de percibir y comprender lo que sienten y piensan otras personas, otros pueblos. Por eso, podemos decir que el arte es una ventana abierta a la que nos asomamos con curiosidad e imaginación.

Autoevaluación

Es tiempo de que revises lo que has aprendido después de trabajar en este bloque. Lee cada enunciado y elige la opción que consideres correcta.

	Lo hago muy bien	Lo hago a veces	Necesito ayuda para hacerlo
Identifico las características de la pintura mural.			
Determino los elementos que caracterizan los diferentes bailes populares del mundo.			
Relaciono los cuartos (o negras) y los octavos (o corcheas) con los compases de 2/4, 3/4 y 4/4.			
Comprendo los elementos de una obra de teatro.			
Utilizo en forma creativa el lenguaje de la pintura mural.			
Ejecuto una puesta en escena.			

Describe una situación en la que apliques lo que aprendiste, hiciste o investigaste en este bloque. _____
_____

	Siempre	Lo hago a veces	Difícilmente lo hago
Participo activamente en una puesta en escena.			
Propongo acciones que fomenten la creatividad en el grupo.			

Me propongo mejorar en: _____
_____

Proyecto de ensamble

Ahora que tu cuerpo pasa por grandes cambios, tal vez te gustaría recordar tiempos pasados. Es inevitable que tu cuerpo se desarrolle y que día a día descubras ante el espejo que vas cambiando. Uno de esos cambios es la altura, pero no es el único, seguirás creciendo. En este proyecto, verás esos cambios en ti y en tus compañeros.

Crearás una instalación artística con el tema "Cómo fui y cómo soy", integrando todo lo que aprendiste a lo largo del año. Recuerda que tú y tus compañeros pueden realizar el proyecto que quieran, si tienen otras ideas diferentes a la que aquí les proponemos.

Formen cuatro equipos para desarrollar su proyecto.

- El equipo uno elaborará la transformación del espacio. Organicen los objetos y materiales que trajeron a la escuela y los que encontraron en el "Baúl del arte", de acuerdo con el uso que le quieran dar. Recuerden lo que aprendieron a lo largo de sus lecciones y la información de sus investigaciones.
- El equipo dos escenificará una danza corta. Inventen movimientos y secuencias relacionadas con los cambios de su cuerpo; organícense con el equipo de música para incluir ejercicios rítmicos. Recuerden lo que aprendieron en la lección "Los bailes folclóricos del mundo" y aplíquenlo en su escenificación para que después la representen en el espacio destinado dentro de su instalación.
- El equipo tres acompañará los movimientos corporales del equipo dos con ejercicios rítmicos, utilizando los valores de negra, corcheas y silencios. Ejecútenlos con un instrumento de percusión o con un objeto del "Baúl del arte".
- El equipo cuatro escribirá una pequeña historia. Describan situaciones a partir de experiencias propias (desde pequeños hasta ahora). Sean breves y concisos. Peguen las historias en un espacio de su instalación y entre todos, elijan una para que se lea en la presentación de su proyecto.

Cuando tengan el proyecto finalizado preséntenlo ante la comunidad escolar y a los padres de familia.

La planeación del proyecto, el trabajo en equipo, la seguridad en la toma de decisiones y el uso de estrategias darán calidad al trabajo.

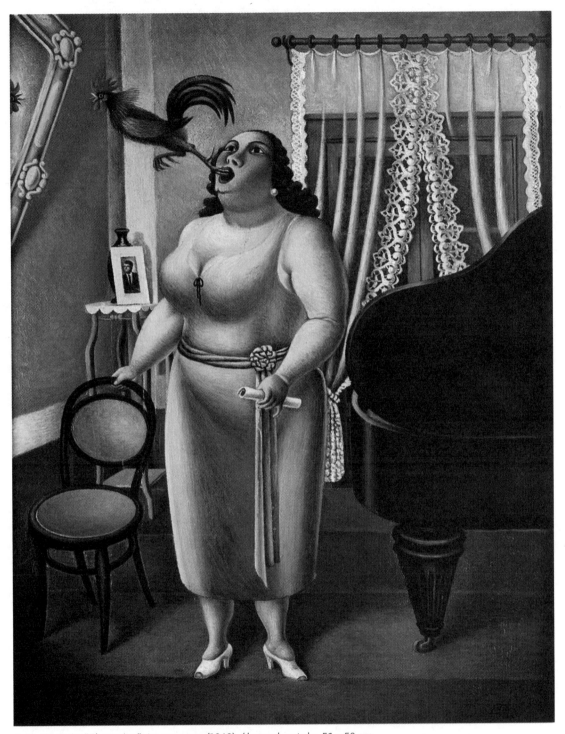

Antonio Ruiz, "El corcito", *La soprano* (1949), óleo sobre tela, 51 x 58 cm.

150 cm

Bibliografía

Aguilar, Nora, *Improvisation*, Pittsburgh, University of Pittsburgh Press, 1988.

Anholt, Laurence, *Camille y los girasoles*, Barcelona, Serres, 1995.

_____, *Degas y la pequeña bailarina*, Barcelona, Serres, 1996.

Aristóteles, *Poética*, Madrid, Gredos, 1992.

Bacqueiro Foster, Gerónimo, *Curso completo de solfeo*, tomo I, México, Ricordi, 1995.

Ball, Philip, *La invención del color*, Madrid, Turner, 2004.

Brecht, Bertolt, *Escritos sobre teatro*, Barcelona, Alba, 2004.

Blom, Lynne Anne y L. Tarin Chaplin, *The moment of movement. Dance improvisation*, Pittsburgh, University of Pittsburgh Press, 1988.

Cañas, José, *Didáctica de la expresión dramática: una aproximación a la dinámica teatral en el aula*, Barcelona, Octaedro, 1992.

Casado, Jesús y Rafael Portillo, *Abecedario del teatro*, Sevilla, Centro de Documentación de las Artes Escénicas de Andalucía, 1992.

Cataño, Fernando y Gustavo Catillo Paz, *Temas de cultura musical*, México, Trillas, 1979.

Cervera, Juan Borrás. *Historia crítica del teatro infantil español*, Madrid, Editora Nacional, 1982.

Dallal, Alberto, *Cómo acercarse a la danza*, México, SEP-Plaza y Valdés-Gobierno del Estado de Querétaro, 1988.

_____, *La danza contra la muerte*, México, UNAM, 1979.

García Moncada, Francisco, *Teoría de la música*, México, Ricordi, 1995.

Grotowski, Jerzy, *Hacia un teatro pobre*, Madrid, Siglo XXI, 1981.

Holm, Annika, *Anton y los dragones*, Barcelona, Serres, 2001.

Hormigón, Juan Antonio, *Trabajo dramatúrgico y puesta en escena*, Madrid, Asociación de Directores de Escena, 2003.

Kandinsky, Wassily, *Punto y línea sobre el plano*, México, Colofón, 2007.

Kidd, Richard, *Daisy quiere ser famosa*, Barcelona, Serres, 2001.

Llovet, Jordi, *Ideología y metodología del diseño*, Barcelona, Gustavo Gili, 1981.

Instituto Cubano del Libro, *Para hacer teatro*, Caracas, El perro y la rana, 2006.

Nietzsche, Friedrich, *El nacimiento de la tragedia*, Madrid, Alianza, 2004.

Oliveto, Mercedes y Dalia Zylberberg, *Movimiento, juego y comunicación. Perspectivas de expresión corporal para niños*, Buenos Aires, Noveduc, 2005.

Palant, Pablo, *Teatro: el texto dramático*, Buenos Aires, Centro Editor de América Latina, 1968.

Renoult, Noëlle, *Dramatización infantil: expresarse a través del teatro*, Madrid, Narcea, 1994.

Secretaría de Educación Pública, *Libro para el maestro. Educación Artística Primaria*, 2a. ed., México, SEP, 2001.

Susarrey Ríos, Silvia, *Prácticas escénicas en la carrera profesional de danza clásica*, México, Conaculta, 2000.

Rodríguez, Félix y Rosario García, *Rítmica aplicada a la danza folklórica. Método de entrenamiento rítmico para bailarines*, México, Fonca, 2001.

Schillerm Friedrich, Kallias. *Cartas sobre la educación estética del hombre*, Anthropos, Barcelona, 2005.

Vygotski, Lev Semenovich, *La imaginación y el arte en la infancia*, Madrid, Akal, 1998.

Créditos iconográficos

Para la elaboración de este libro se utilizaron fotografías de las siguientes instituciones y personas:

p. 10 Jorge Reyes, fotografías de Juan Carlos Mejía Rosas y del acervo fotográfico de Jorge Reyes; Caracol, fotografía de Raúl Barajas, Archivo iconográfico DGME-SEP, Museo Nacional de Antropología, Conaculta-INAH; reproducción autorizada por el Instituto Nacional de Antropología e Historia.

p. 12 Abel Quezada (1920-1991), *El corredor solitario de Central Park* (fragmento) (1978), óleo sobre tela, 75 x 70 cm, derechos de reproducción familia Quezada Rueda; Alfredo Zalce (1908-2003), *Cuevas de Becal,* óleo sobre tela, ILCE-Biblioteca Digital.

p. 13 Autor desconocido, *Troncos de árbol tallados,* Bavaria, Alemania, ©Photostock.

p. 14 Matachines, Chihuahua, 2010, fotografías de Raúl Barajas; archivo iconográfico DGME-SEP.

p. 15 *La bella durmiente,* Compañía Nacional de Danza, temporada 2008, Castillo de Chapultepec, fotografía de Guillermo Galindo, Acervo Iconográfico de la Compañía Nacional de Danza, México.

p. 16 *Fragmentos de Carmina Burana,* compañía Fóramen M Ballet, 2010, Tercer Festival Internacional de Danza Contemporánea "Morelos, tierra de encuentro", fotografía de Germán Romero Martínez.

p. 17 *Rara Avis,* Compañía Nacional de Danza, Palacio de Bellas Artes, 2004, fotografía de Guillermo Galindo, Acervo Iconográfico de la Compañía Nacional de Danza, México; *Trío y cordón,* compañía Delfos, 2010, Tercer Festival Internacional de Danza Contemporánea "Morelos, tierra de encuentro", fotografía de Germán Romero Martínez; *Danza de la cinta,* Danzantes del Carnaval de Tlaxcala, Festival Internacional Cervantino 2002, fotografía de Bernardo Cid Nieto.

p. 18 *Las horas,* Compañía Tania Pérez Salas, 2002, fotografía de José Jorge Carreón.

p. 19 *¡Psitt! ¡Psitt!, viene regando flores desde La Habana a Morón,* Gelabert-Azzopardi Companyia de Dansa, Cataluña, España, Festival Internacional Cervantino 2008, fotografía de Bernardo Cid Nieto.

p. 23 *Trapos y harapos,* compañía Athos Garabatos, 2010, Tercer Festival Internacional de Danza Contemporánea "Morelos, tierra de encuentro", fotografía de Germán Romero Martínez.

p. 24 *Cállate,* dirección Cal Mc Crystal; actriz, Adriana Duch, 2007, Teatro del Estado, Xalapa, Veracruz, fotografía de Germán Romero Martínez.

p. 25 Pablo Picasso (1881-1973), *Violín y uvas* (1912), óleo sobre tela, 50.8 x 61 cm ©Dennis Hallinan/Alamy.

p. 26 Alfredo Zalce (1908-2003), *Gente y paisaje de Michoacán* (1962), pintura al fresco, 21.6 x 5 m, Palacio de Gobierno, Morelia, Michoacán, ©Photostock.

p. 31 Luis Barragán Morfín (1902-1988), portería de la *Casa Luis Barragán* (1948), Ciudad de México, Fundación de Arquitectura Tapatía Luis Barragán, fotografía de Alberto Moreno Guzmán.

p. 38 *Taiko,* Compañía Gocoo+GoRo, de Japón, Festival Internacional Cervantino 2005, fotografía de Bernardo Cid Nieto.

p. 39 *Eduardo II,* de Christopher Marlowe, director: Martín Acosta, 2008. Teatro Juan Ruiz de Alarcón, fotografía de Christa Cowrie, Archivo INBAL-Citru.

p. 41 *El gato con botas,* ópera infantil de Xavier Montsalvatge, Festival de San Luis, San Luis Potosí, México, 2005, patrocinada por la Orquesta Sinfónica de la Universidad de Guanajuato, fotografía de Salvador Perches Galván.

p. 42 Antonio Pérez, "Ñiko" (1941), *Gala de ópera* (1998), serigrafía, 70 x 95 cm.

p. 46 Partenón y Acrópolis de Atenas, ©Other images, fotografía de Peter Arnold.

p. 47 Castillo Medieval Carcassonne, Francia, ©Other images, fotografía de ©JW; construcciones antiguas de Colmar Alsacia, ©Other images, fotografía de ©Mark Edward Smith; Casa de la Cultura, Palacio Clavijero, Morelia, Michoacán, México, ©Other images.

p. 48 Ciudad de México, 1995, ©Other images, fotografía de ©Guido Alberto Rossi.

p. 50 *Impresiones en el ánimo,* compañía Realizando Ideas, AC, 2008, fotografía de Daniel González.

p. 51 Edgar Degas (1834-1917), *Ensayo del ballet en el escenario* (1874), óleo sobre tela, 81 x 65 cm, @ Other images, fotografía de ©Jean-Claude Varga/Keystone-France; Henri Matisse (1869-1954), *La danza* (1909), óleo sobre tela, 319 x 260 cm. ©Other images, colección del Museo de Arte Moderno de Nueva York, fotografía de © Sylvain Grandadam.

p. 55 *Sueño de una noche de verano,* de William Shakespeare, dirección José Solé, 1969, Teatro del Palacio de Bellas Artes, fotografía: Archivo INBAL-Citru, Biblioteca de las Artes-Cenart; *Sueño de una noche de verano,* de William Shakespeare, dirección Juliana Faesler, Sala Miguel Covarrubias, fotografía de Christa Cowrie, Archivo INBAL-Citru.

p. 56 *Stonehenge,* Inglaterra, ©Other images, fotografía de ©Fiore; *Edificio que baila: Ginger y Fred,* del arquitecto Frank Gehry, Praga, República Checa, ©Other images, fotografía de ©Jan Richter.

p. 57 *Casas cúbicas,* Piet Blon, Holanda, ©Other images, fotografía de ©Digital Light Source.

p. 58 *El diluvio que viene,* espectáculo dirigido por Héctor Bonilla, 2008, fotografía de Daniel González.

p. 62 Grupo Horma, *Lo que el viento a Juárez,* 2008, instalación artística en el Centro Histórico de la Ciudad de México, tejido y costura/soporte de PET, dirección de María Romero y Gerardo Betancourt, producción de Iván W. Jiménez, fotografía de Georgina Romero Salas.

p. 63 Isa Genzken (1948), *Fahnenstange,* instalación en el Museo Universitario de Arte Contemporáneo, UNAM, 2006, madera, tubos y hoja de plástico, figura inflable, base de madera, caja de refrescos, conejo de peluche, pintura, muñeca de trapo, c-print y pintura en aerosol, 410 x 115 x 190 cm. Acervo iconográfico del Museo Universitario de Arte Contemporáneo, Colección de Arte Corpus, AC, fotografía de Barry Domínguez.

p. 64 Ballet Nacional Folclórico de China, fotografía de Bernardo Cid Nieto.

p. 65 *Anart, donde la danza prevalece por siempre,* compañía Aavishkar, India, 2006, fotografía de Christa Cowrie.

p. 69 *El Quijote,* Ux onodanza, Danza Bizarra AC, coreografía: Dir. Raúl Parrao, 2005, fotografía de Christa Cowrie; *¡Ay! Quixote,* compañía Teatro Malandro, 2002, fotografía de Bernardo Cid Nieto.

p. 70 *¡Quijote!,* Teatro Núcleo, Italia, 2002, fotografía de Bernardo Cid Nieto.

p. 76 *El diablito,* pintura rupestre ubicada en El vallecito al norte de la península de Baja California, fotografía Bob Shalkwijk, Archivo iconográgico DGME-SEP. *Hombre-jaguar* (detalle) (c. 700), pintura al fresco, 180 x 170 cm, Tlaxcala © Photostock.

p. 77 Miguel Ángel Buonarroti (1475-1564), Capilla Sixtina, pintura al fresco, dimensiones de la bóveda: 1 100 m², Ciudad del Vaticano, Roma, ©Other images, fotografía de ©Robert Lehmann.

p. 78 José Clemente Orozco (1883-1949), *Los aristócratas* (fragmento) (1923-1924), pintura al fresco, 900 x 350 cm aprox. (el mural completo). Primer piso del Antiguo Colegio de San Ildefonso.

p. 79 Eyel, sin título (2008), graffiti, 400 X 400 cm, fotografía: *Revista ene o (ensayo del diseño).*

p. 80 Bailarines de tango en Buenos Aires, Argentina, ©Other images, fotografía de ©Daisy Gilardini; *Rock around the clock* © Other Images

p. 81 Danzoneros en un domingo. Plaza de Armas de Veracruz, México, 2005, fotografía de Christa Cowrie.

p. 82 Vaso de papel ©Other Images.

p. 84 *Los locos de Valencia,* compañía Perro Teatro, México, 2009, fotografía de Daniel González.

p. 86 *¡Ay! Quixote,* compañía Teatro Malandro, 2002, fotografía de Bernardo Cid Nieto.

p. 91 Antonio Ruiz, "El corcito" (1892-1964), *La soprano* (1949), óleo sobre tela, Colección del Acervo Patrimonial de la Secretaría de Hacienda y Crédito Público (SHCP) y Colección Andrés Blaisten, 51 x 58 cm.

Educacíon Artística. Quinto grado.
se imprimió por encargo de la Comisión Nacional
de Libros de Texto Gratuitos, en los talleres de
Inmobiliaria y Arrendadora GLD, S.A de C.V.,
con domicilio en Mimosas No. 31,
Col. Santa Ma. Insugentes,
C.P 06430, México D.F.,
en el mes de marzo de 2011,
el tiraje fue de 2'901,850 ejemplares

Impreso en papel reciclado

¿Qué opinas de tu libro?

Tu opinión es importante para que podamos mejorar este libro de *Educación Artística, quinto grado*. Marca con una palomita (✓) en el espacio con la respuesta que mejor exprese lo que piensas.

1. ¿Te gustó el libro?

Mucho ◯   Regular ◯   Poco ◯

2. ¿Te gustaron las imágenes?

Mucho ◯   Regular ◯   Poco ◯

3. ¿Las imágenes te ayudaron a entender las actividades?

Mucho ◯   Regular ◯   Poco ◯

4. ¿Te fue fácil conseguir los materiales para realizar las actividades?

Siempre ◯   Casi siempre ◯   Algunas veces ◯

5. ¿Las instrucciones de las actividades fueron claras?

Siempre ◯   Casi siempre ◯   Algunas veces ◯

6. ¿Te gustaron las actividades propuestas?

Siempre ◯   Casi siempre ◯   Algunas veces ◯

7. ¿El "Baúl del arte" fue un elemento de apoyo para realizar las actividades?

Siempre ◯   Casi siempre ◯   Algunas veces ◯

Las actividades te permitieron:	Mucho	Regular	Poco
Expresar tu creatividad	◯	◯	◯
Trabajar en equipo	◯	◯	◯
Hacer las cosas por ti mismo	◯	◯	◯

Si tienes sugerencias para el libro, escríbelas a continuación:

_____

_____

¡Gracias por tu participación!

SEP

Dirección General de Materiales Educativos
Dirección de Desarrollo e Innovación de Materiales Educativos

Viaducto Río de la Piedad 507, cuarto piso,
Granjas México, Iztacalco,
08400, México, D. F.

Datos generales

Entidad: _____

Escuela: _____

Turno: Matutino   Vespertino   Escuela de tiempo completo

Nombre del alumno: _____

Domicilio del alumno: _____

_____

Grado: _____